La République

D'après la traduction de Émile Chambry (1864-1938)

PLATON

Présentation et notes
Xavier Brouillette

9001, boul. Louis-H.-La Fontaine, Anjou (Québec) Canada H1J 2C5
Téléphone : 514-351-6010 • Télécopieur : 514-351-3534

Direction de l'édition
Philippe Launaz

Direction de la production
Danielle Latendresse

Direction de la coordination
Rodolphe Courcy

Charge de projet
Réalisation graphique
Les productions Faire Savoir inc.

Sources iconographiques supplémentaires
Page couverture, Platon avec ses disciples dans son Académie. Mosaïque provenant de la Villa de T. Siminius Stephanus, Pompéi (v. ~1er siècle).
Pour tous les documents mis à disposition aux conditions de la licence *Creative Commons* (version 3.0 et précédentes), les adresses sont les suivantes :
CC-BY (*Paternité*) : <creativecommons.org/licenses/by/3.0/deed.fr_CA>
CC-BY-SA (*Paternité - Partage des conditions initiales à l'identique*) : <creativecommons.org/licenses/by-sa/3.0/deed.fr_CA>
CC-BY-ND (*Paternité - Pas de modification*) : <creativecommons.org/licenses/by-nd/3.0/deed.fr_CA>

Les Éditions CEC inc. remercient le gouvernement du Québec de l'aide financière accordée à l'édition de cet ouvrage par l'entremise du Programme de crédit d'impôt pour l'édition de livres, administré par la SODEC.

La République

9001, boul. Louis-H.-La Fontaine
Anjou (Québec) H1J 2C5

Dépôt légal : 2011
Bibliothèque et Archives nationales du Québec
Bibliothèque et Archives Canada

ISBN : 978-2-7617-3263-5

Imprimé au Canada
1 2 3 4 5 15 14 13 12 11

Imprimé sur papier contenant 100 % de fibres recyclées postconsommation.

Titres déjà parus dans la collection
PHILOSOPHIES VIVANTES

Aristote – *Éthique à Nicomaque*
Darwin – *La descendance de l'homme et la sélection sexuelle*
Descartes – *Discours de la méthode*
Descartes – *Méditations métaphysiques. Traité des passions de l'âme*
Freud – *Une révolution de la connaissance de soi*
Hobbes – *Léviathan*
Jonas – *Le principe responsabilité*
Kant – *Essai philosophique sur la paix perpétuelle*
Kant – *Fondements de la métaphysique des mœurs*
Les stoïciens et Épicure – *L'art de vivre*
Machiavel – *Le Prince*
Marx – *Manifeste. Manuscrits de 1844*
Mill – *L'utilitarisme*
Nietzsche – *Penseur intempestif*
Platon – *Alcibiade*
Platon – *Apologie de Socrate. Criton. Précédés de Euthyphron*
Platon – *Gorgias*
Platon – *Hippias Majeur*
Platon – *La République*
Platon – *Le Banquet*
Platon – *Ménon*
Rousseau – *Discours sur l'origine et les fondements de l'inégalité parmi les hommes*

Consultez la liste à jour des titres de la collection sur notre site Internet à l'adresse **www.editionscec.com**

REMERCIEMENTS

J'aimerais d'abord remercier Philippe Launaz pour avoir accepté de publier le présent ouvrage. Ses commentaires stimulants et ses suggestions ont grandement contribué à son amélioration. Je n'aurais pu compléter cet ouvrage sans les soins et la patience d'Éliane Bélanger qui a retranscrit le texte d'Émile Chambry. Je remercie les trois lecteurs anonymes qui ont lu une première version du manuscrit et m'ont fait de pertinentes critiques.

Cet ouvrage tire son origine d'un projet pédagogique réalisé au Cégep du Vieux Montréal entre 2008 et 2010. Il impliquait un petit groupe de professeurs qui ont, avec moi, travaillé *La République* en classe. Je remercie donc vivement Victor Drouin-Trempe, Stéphanie Kemp, Lucie Kla, Tony Patoine, Sophie Tremblay et Paul Turcotte. Je remercie aussi les étudiants qui ont croisé mon chemin durant ces années. Les discussions que nous avons eues se retrouvent dans ce livre. Un merci spécial à Annie Villeneuve, ma plus fidèle lectrice, pour son amour et sa patience.

Xavier Brouillette

TABLE DES MATIÈRES

PLATON : ÉLÉMENTS DE BIOGRAPHIE

Comme pour la plupart des philosophes de l'Antiquité, nous avons peu d'indications biographiques fiables sur Platon. Très souvent, des faits avérés côtoient des légendes. Nous nous bornerons donc ici à mentionner quelques faits certains qui revêtent une importance quant à la compréhension de *La République*.

Tête de Platon. Copie romaine d'un original grec qui était exposé à l'Académie après la mort du philosophe en ~348.

Platon naît à Athènes autour de ~427[1], à la toute fin de l'âge d'or athénien. L'opulence de la cité est à son apogée, notamment en raison des réalisations de Périclès. Parmi celles-ci se trouve le célèbre Parthénon qui trône sur l'Acropole d'Athènes. Cet âge d'or ne fut pourtant que de courte durée. L'impérialisme athénien aura tôt fait d'irriter ses voisins, dont Sparte, avec qui elle entrera en conflit. La guerre du Péloponnèse (~431-~404) marquera de façon durable la vie politique athénienne, mais aussi la jeunesse de Platon.

On ne sait pratiquement rien de cette jeunesse, sinon que, issu d'une famille aristocratique riche et influente, Platon fut très jeune initié aux responsabilités associées à l'engagement politique. Comme il l'écrit lui-même dans une de ses *Lettres* :

1. Le tilde (~) placé avant les dates désigne l'époque avant l'ère chrétienne.

« Au temps de ma jeunesse, j'ai effectivement éprouvé le même sentiment que beaucoup d'autres [jeunes gens]. Aussitôt que je serais devenu mon maître, m'imaginais-je, je m'occuperais sans plus tarder des affaires de la cité » (VII, 324bc, trad. L. Brisson).

Toutefois, Platon se détourna rapidement de la vie politique active, dégoûté par les agissements du gouvernement des Trente. En effet, après sa capitulation aux mains de Sparte en ~404, Athènes se vit imposer une dictature de trente oligarques, parmi lesquels se trouvaient des membres de la famille de Platon. Ce régime de terreur sera finalement renversé et la démocratie restaurée. Nous reviendrons sur ces événements importants lorsque nous parlerons du contexte politique de *La République* (*voir* p. 11). Peu de temps après toutefois, cette démocratie mit à mort l'homme qui apparaissait le plus juste aux yeux de Platon : Socrate.

Le retrait de Platon de la vie publique athénienne doit aussi certainement beaucoup à sa rencontre avec cet homme atypique, alors qu'il avait lui-même environ vingt ans. Platon devint rapidement le disciple de Socrate et lui resta fidèle jusqu'à sa mort. L'événement tragique de la condamnation à mort de Socrate pour impiété et corruption de la jeunesse, en ~399, plus que tout autre, marqua fortement Platon et l'engagea de façon active dans l'écriture de dialogues philosophiques mettant en scène son maître.

La mort de Socrate par Jacques-Louis David (1787).

À la mort de Socrate, certaines traditions affirment que Platon voyagea longuement, notamment en Égypte. Il est difficile de savoir si ce voyage fut réel. Toutefois, nous savons avec certitude qu'il se rendit en Italie du Sud (où il rencontra Archytas le pythagoricien), ainsi qu'à Syracuse en Sicile, en ~388-~387.

La cité de Syracuse, colonie de Corinthe fondée au ~8e siècle, était à l'époque une riche cité de la *Grande Grèce*. Athènes avait tenté de prendre le contrôle de cette ville durant la guerre du Péloponnèse, afin de contrer son influence grandissante, mais l'expédition de Sicile fut un désastre et un coup dur pour Athènes (*voir* p. 17).

D'abord invité par le tyran Denys I, Platon se liera d'amitié avec l'oncle maternel de ce dernier, Dion. Quelques mois après son arrivée, il sera renvoyé de la cour du tyran, sans que l'on sache exactement pourquoi.

De retour à Athènes, Platon prend une décision qui aura une importance capitale. Il achète un terrain situé au nord-ouest d'Athènes, sur lequel se trouve un jardin dédié au héros Académos. À cet endroit il fonde l'Académie, la première institution philosophique dont la fortune sera importante durant toute l'Antiquité.

Le site archéologique de l'Académie à Athènes.

La nature et l'organisation de l'Académie sont, pour une bonne part, mystérieuses. Il en va de même de son histoire, marquée par plusieurs transformations institutionnelles. On sait néanmoins que l'Académie était un lieu d'enseignement et aussi un lieu de recherche, où régnait une certaine liberté doctrinale. Platon n'y dispensait pas un enseignement dogmatique, mais était ouvert à différentes théories, comme le prouve la présence d'Aristote – opposé à son maître sur bien des points – pendant plus de vingt ans. Elle formait ainsi un véritable lieu de vie où se côtoyaient Platon et ses disciples, auxquels il ne demandait aucun salaire, contrairement à l'habitude des sophistes. De plus, dès sa fondation, l'école devait préparer les étudiants à jouer un rôle politique actif.

Platon retournera deux fois en Sicile à la cour de Denys II, le fils de Denys I, d'abord entre ~367 et ~366, puis en ~361-~360. Ces deux séjours, où il tenta d'influencer le jeune tyran, s'avérèrent des échecs, d'autant plus que ce dernier était à couteaux tirés avec son neveu Dion, ami de Platon.

Platon, déjà avancé en âge, rédigera ses derniers dialogues. Il meurt en ~347 alors qu'il est en train d'écrire les *Lois*, dialogue dans lequel il établit la législation d'une cité idéale. Tout au long de sa vie, le souci politique – qu'il soit théorique ou pratique – et la volonté d'organiser de la meilleure façon possible la vie de la communauté auront été au cœur de ses occupations et préoccupations.

L'ŒUVRE DE PLATON

L'œuvre de Platon est vaste et c'est aussi l'une des seules de l'Antiquité qui nous soit parvenue dans son intégralité. Nous possédons, par ailleurs, plusieurs textes attribués à Platon, mais dont nous savons qu'ils ne sont pas véritablement de lui. Ces écrits sont dits *apocryphes*. Traditionnellement, les dialogues avérés sont classés en quatre périodes différentes.

Les dialogues de jeunesse (~399-~390) mettent généralement en scène Socrate à la recherche de la véritable définition d'une notion comme l'amour, le courage ou encore la sagesse (par exemple *Charmide*, *Lachès*, *Euthyphron*).

Les dialogues de transition (~390-~385), contemporains à la fondation de l'Académie, mettent toujours en scène Socrate, mais on y voit

Fragments d'un parchemin de *La République* datant du ~3e siècle.

apparaître des thèmes platoniciens majeurs, comme la critique de la rhétorique et l'importance des mathématiques (par exemple *Gorgias*, *Ménon*, *Euthydème*).

Les dialogues de maturité (~385-~370) regroupent parmi les œuvres platoniciennes les plus importantes et offrent une synthèse de la pensée du philosophe, de sa conception de l'âme et de l'organisation juste de la société, ainsi que de sa théorie du monde intelligible (par exemple *République*, *Banquet*, *Phèdre*).

Finalement, les dialogues de vieillesse (~370-~348) forment des œuvres plus techniques, traitant notamment de législation, de physique et d'ontologie. Platon y discute beaucoup la tradition philosophique l'ayant précédé (par exemple *Parménide*, *Timée*, *Lois*).

REPÈRES HISTORIQUES ET CULTURELS

Histoire	Socrate et Platon	Évènements culturels
~8e siècle		Homère, auteur de l'*Iliade* et de l'*Odyssée*. Hésiode, poète et écrivain, *Les travaux et les jours*, *Théogonie*. Premiers Jeux olympiques datés.
~7e au ~6e siècle ~625 Dracon fait une première réforme du système de justice.		v.~625 à v.~546 Thalès de Milet, philosophe et mathématicien. v.~610 à v.~545 Anaximandre, philosophe et mathématicien.
~6e au ~5e siècle ~594 Solon crée les principales institutions démocratiques. ~507 Clisthène consolide l'organisation démocratique.		v.~580 à v.~500 Pythagore, philosophe et mathématicien. v.~576 à v.~480 Héraclite, philosophe. v.~570 à v.~480 Xénophane, philosophe. v.~586 à v.~526 Anaximène, philosophe. v.~544 à v.~450 Parménide, philosophe. v.~525 à ~456 Eschyle, dramaturge. v.~500 à v.~428 Anaxagore, philosophe ; il subit un procès pour impiété.
~5e siècle ~495 Naissance de Périclès. ~490 et ~480 Guerres médiques : les cités grecques résistent aux Perses.		~496 à ~406 Sophocle, dramaturge. v.~490 à v.~435 Empédocle, philosophe. v.~487 à ~380 Gorgias, sophiste et orateur.

Histoire	Socrate et Platon	Évènements culturels
		v.~485 à v.~420 Zénon d'Élée, philosophe. v.~485 à v.~410 Protagoras, sophiste célèbre, il subit un procès pour impiété. v.~484 à v.~425 Hérodote, historien. v.~480 à ~406 Euripide, dramaturge.
~480 Thémistocle commande la flotte athénienne et remporte la victoire de Salamine.	~469 Naissance de Socrate.	
~450 Athènes, à la tête de la Ligue de Délos, est perçue peu à peu comme un « empire athénien », suscitant rivalités et conflits. ~446 Traité de paix de Trente ans entre Athènes et Sparte.		v.~460 à v.~370 Démocrite, philosophe matérialiste. v.~460 à v.~377 Hippocrate, médecin. Fin ~5e siècle Thrasymaque, sophiste que Platon fait dialoguer avec Socrate dans *La République*. ~450 à ~386 Aristophane, auteur de comédies.
~431 Début de la guerre du Péloponnèse. ~430 à ~429 Siège de Potidée (auquel participe Socrate). ~430 Grande épidémie de peste ou de fièvre typhoïde. ~429 Mort de Périclès.	~432 à ~430 Socrate est soldat. ~430 Début de la mission de Socrate.	
	~429 Socrate sauve Alcibiade à la bataille de Potidée.	
~424 Défaite de Délion : Athènes est vaincue par Thèbes. ~421 Paix de Nicias.	~428 ou ~427 Naissance de Platon.	~423 *Les nuées* d'Aristophane.

Histoire	Socrate et Platon	Évènements culturels
~411 à ~404 Multiples bouleversements politiques et militaires. Athènes vit sous l'oligarchie, puis sous une forme de démocratie. Elle connaît enfin la tyrannie des Trente. ~406 Victoire d'Athènes aux îles Arginuses. ~404 Fin de la guerre du Péloponnèse. ~404 à ~378 Domination d'Athènes par Sparte. ~403 Retour de la démocratie. Il s'agit maintenant d'une démocratie constitutionnelle (constitution écrite) et non d'une démocratie orale et coutumière.	~408 à ~399 Platon suit l'enseignement de Socrate. ~406 Socrate préside le Conseil. Procès des généraux qui n'ont pas porté secours aux naufragés durant la bataille aux îles Arginuses. Les accusés sont jugés en bloc, malgré l'opposition de Socrate, qui réclame des procès individuels comme le stipulait la loi.	
~4e siècle		
	~399 Procès et mort de Socrate. ~399 à ~390 Platon écrit *Ion*, *Lachès*, *Charmide*, *Protagoras*, *Euthyphron*. ~390 à ~385 Platon écrit *Gorgias*, *Ménon*, *Apologie de Socrate*, *Criton*, *Euthydème*, *Lysis*, *Ménexène*, *Cratyle*. ~389 Voyage de Platon dans la Grande Grèce (Italie du Sud). ~387 Voyage de Platon en Sicile. v.~387 Platon fonde l'Académie.	

Histoire	Socrate et Platon	Évènements culturels
~384 à ~322 Démosthène, chef d'État démocrate et grand orateur.	~385 à ~370 Platon écrit *Phédon*, *Le Banquet*, *La République*, *Phèdre*. ~370 à ~348 Platon écrit ses dernières œuvres : *Théétète*, *Parménide*, *Sophiste*, *Politique*, *Timée*, *Critias*, *Philèbe*, *Les lois*. ~367 Voyage de Platon en Sicile.	~384 à ~322 Aristote, philosophe.
		v.~365 à ~275 Pyrrhon, fondateur du scepticisme. v.~364 Praxitèle sculpte une célèbre statue de la déesse Aphrodite.
	~361 Voyage de Platon en Sicile. ~348 ou ~347 Mort de Platon.	v.~360 Aristippe le Jeune. Suivant l'enseignement de sa mère, Arété (doctrine des plaisirs ou hédonisme), il continue l'école cyrénaïque. ~343 Aristote devient le précepteur d'Alexandre le Grand.
~336 Alexandre le Grand succède à son père, Philippe de Macédoine, à l'âge de 20 ans. Il soumet la Grèce et entreprend la conquête de l'Empire perse.		~341 à ~270 Épicure, penseur de l'épicurisme. v.~335 à v.~264 Zénon de Citium, fondateur du stoïcisme. ~335 Aristote fonde le Lycée à Athènes.

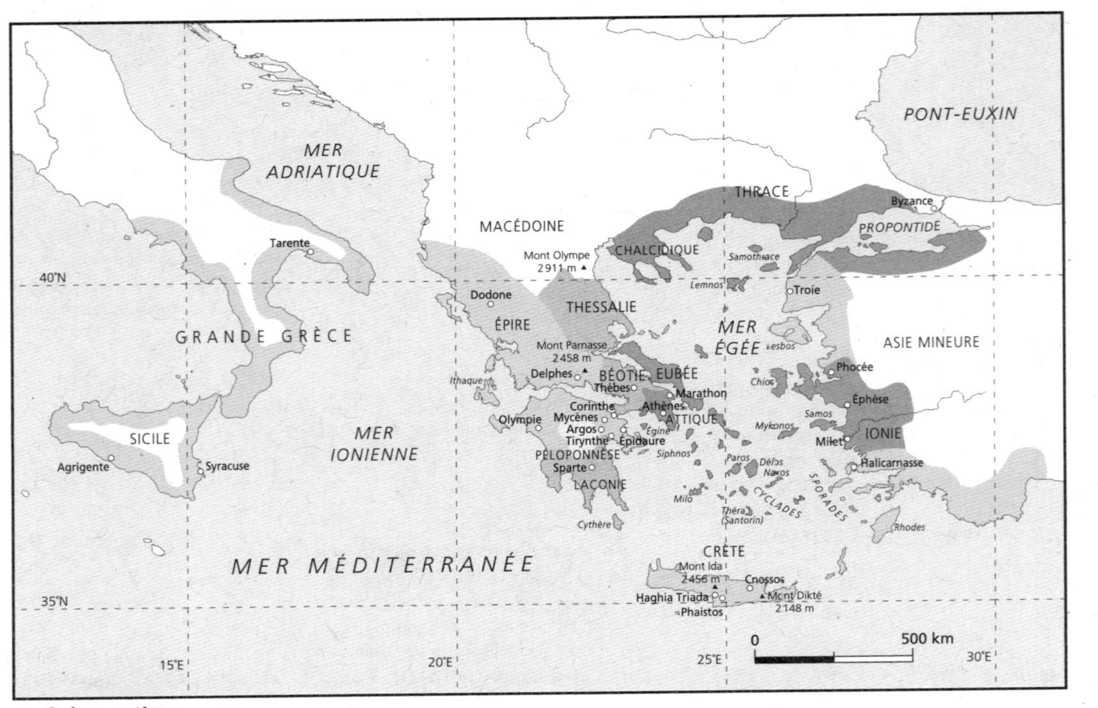

La Grèce antique.

LE CONTEXTE POLITIQUE ET CULTUREL DE *LA RÉPUBLIQUE*

La République est un ouvrage complexe pour plusieurs raisons. L'entrelacement de l'argumentation, la rédaction minutieuse, le foisonnement de thèmes et de pistes en font un des plus riches que Platon ait écrit. Cette complexité, plus grande que dans aucun autre dialogue, tient aussi au regard qu'il porte sur ses contemporains et les mesures qu'il entend prendre afin de répondre aux troubles qui affligeaient alors, selon lui, toutes les cités. Comme il l'écrit dans la *Lettre VII*:

> « À la fin, je compris que, en ce qui concerne toutes les cités qui existent à l'heure actuelle, absolument toutes ont un mauvais régime politique ; car ce qui en elles se rapporte aux lois se trouve dans un état pratiquement incurable, faute d'avoir été l'objet de soins extraordinaires aidés par la chance » (326a, trad. L. Brisson).

Ce constat sévère n'était pourtant pas irréfléchi, puisqu'il prend appui autant sur le contexte à l'intérieur duquel s'est déroulée la vie de Platon, que sur ses propres expériences politiques.

LA DÉMOCRATIE ATHÉNIENNE : PRINCIPES ET INSTITUTIONS

L'Athènes dans laquelle naît Platon constitue une démocratie directe. À son origine, la démocratie désigne le régime qui met le pouvoir (*kratos*) dans les mains du peuple (*dèmos*). Ainsi, tous les citoyens y jouent un rôle actif dans la prise de décisions publiques. Toutefois, seulement une partie de la population participe du *dèmos* : les femmes, les enfants, les esclaves et les métèques (étrangers) en sont exclus. Seuls les hommes ayant atteint la majorité (fixée à vingt ans) et, à partir de ~451, étant nés d'une mère et d'un père athéniens, ont le privilège de deve-

Amphore attique à figure noire datant de ~500 avec l'inscription « DEMOSIOS », signifiant « du peuple », et une chouette. La chouette représente la divinité Athéna, déesse de la sagesse et de la science ; elle en est venue à représenter la philosophie.

nir citoyens. On estime ainsi à environ 10% de la population totale ceux qui participaient activement à la vie publique. Néanmoins, Athènes était fière de son régime, qui demeure encore l'exemple le plus achevé de démocratie ancienne. Pour bien la comprendre, il convient d'abord d'en établir les principes, puis de décrire les institutions qui la rendaient possible.

La démocratie ancienne, comme la démocratie moderne d'ailleurs, se fonde sur deux principes clairs : la liberté et l'égalité. Toutefois, notre conception actuelle de ces deux termes (qui est largement économique – la liberté comme la liberté de choix et l'égalité comme répartition de la richesse) ne recouvre pas vraiment la conception ancienne.

En effet, la liberté antique se comprend comme « le fait d'être libéré de la nécessité ». Cette dernière renvoie à tout ce qui a trait au *bios*, c'est-à-dire à la vie elle-même. Le domaine propre de la nécessité est la maison (en grec *oikia*). La maison est régie par la nécessité, qui autorise comme réponse adéquate l'*autorité* et la *violence* : par exemple, l'autorité du père sur femmes et enfants ; l'autorité du maître sur l'esclave et les bêtes domestiques ; la violence faite à la nature pour qu'elle produise (agriculture). Les Grecs ont inventé à cet effet « l'art domestique », c'est-à-dire l'art de bien gérer la nécessité, et l'ont nommé *économie* (de *oikia*, « maison », et *nomos*, « règle »). Pour les Grecs, le domaine privé de la nécessité n'était pas en soi valorisé : le travail, qui en constitue l'activité principale, est décrit généralement en termes péjoratifs, comme une activité douloureuse et pénible. La fonction du travail est ainsi, si possible, laissée aux esclaves, le citoyen qui possède assez de richesse préférant user de son *temps libre*.

Le temps libre, ou loisir, se dit en grec *scholè*[2]. La période de *scholè* est donc un moment où le citoyen – pour qui des esclaves s'occupent des nécessités – peut se consacrer à des tâches plus élevées culturellement. Une de ces tâches constitue justement la participation au gouvernement démocratique. La démocratie a donc comme valeur principale la liberté, puisque pour être citoyen, il faut d'abord « être libéré des nécessités ». Cela veut aussi dire, de façon corollaire, « être libéré des rapports de violence et d'autorité » qui sont propres à l'*oikia*. Cette idée commande la notion d'*égalité*.

L'égalité démocratique ne veut pas dire, comme on le sous-entend aujourd'hui, un revenu égal pour tous. Au contraire, la notion de « revenu », associé à l'espace privé, n'intéresse pas le citoyen puisqu'il s'en considère, dans l'espace public, *libéré*. Ainsi, l'argent peut faire autorité dans les rapports privés, mais dans un espace libéré de toutes formes d'autorité, l'argent n'a plus de valeur. Dans la démocratie, *les citoyens sont égaux, car ils sont libérés de toute autorité* – que ce soit la richesse, la paternité, la force...

Le nom même de *démocratie* nous renseigne sur sa définition. Le *dèmos* est évidemment le *peuple*, composé, nous l'avons dit, des citoyens athéniens majeurs. Cette restriction est importante, car seul le peuple, en tant qu'entité *libre*, peut exercer le gouvernement. Ce *dèmos* possède, en démocratie, le *kratos*. Ce mot – *kratos* – désigne en grec le *pouvoir*. Le peuple possède donc un pouvoir. Mais qu'est-ce que ce pouvoir ? Contrairement à aujourd'hui, où nous avons tendance à consi-

2. D'où *school*, *escuela*, *Schule*, *école*, *scuola*, etc. L'opposé du temps libre, les occupations, se disent *ascholiai*, donc littéralement « non-temps libre ». La valeur principale n'est donc pas le travail, mais le loisir. Cette idée se trouve aussi dans le latin, qui nomme le temps libre *otium* et sa négation le *negotium* (nom qui donna en français le « négoce », les affaires).

dérer la démocratie du strict point de vue de la majorité, la notion antique de pouvoir associée à la démocratie signifie beaucoup plus : le pouvoir, c'est d'abord *la capacité de faire quelque chose*, le pouvoir de décider de réalités contingentes (non nécessaires). Ce pouvoir s'oppose en fait à toute autorité.

La distinction entre les deux notions – autorité et pouvoir – est importante. Ce que nous appelons « autorité », les Grecs le nommaient *archie*. Or, pour désigner le régime du peuple, ils n'ont pas créé le terme de *démos-archie*, mais celui de *démo-cratie*. En effet, l'idée d'autorité implique celle d'obéissance. Si nous prenons comme exemple la monarchie, nous voyons qu'elle désigne le régime de l'autorité d'un seul (*mono-archie*). L'autorité du monarque se fonde sur ce que Platon nomme un « titre d'autorité » : le sang. N'est pas roi qui veut. *Tous* doivent obéir au roi, tandis que lui n'à l'obligation d'obéir à personne. Dans l'idée d'autorité, il n'y a donc aucune réciprocité. Or, en démocratie, où c'est l'idée de pouvoir qui est mise de l'avant, chaque citoyen est l'égal de l'autre : voilà pourquoi les Grecs disaient que pour être citoyen, il faut tour à tour « gouverner et être gouverné ». La possibilité de passer d'une place à une autre, d'une fonction à une autre – eu égard aux titres d'autorité naturels – constitue la plus flagrante preuve de l'égalité démocratique.

L'égalité démocratique a donc comme signification précise la négation de toute autorité dans l'espace public. Voilà pourquoi elle est *an-archique* au premier sens du terme, et Platon n'hésitera pas, en effet, à décrire la démocratie comme anarchique : elle refuse de tenir compte du titre d'autorité le plus vrai, le savoir. Nous reviendrons sur ce problème lorsque nous aborderons les thèmes de *La République* (*voir* p. 34-37).

Si les principes qui guident la démocratie antique ne nous sont pas familiers, il en va de même pour ses institutions les plus importantes. La démocratie athénienne était composée de deux assemblées distinctes. La première était restreinte à 500 citoyens et se nommait la *Boulè*, le Conseil. Ses membres étaient tirés au sort chaque année parmi les volontaires de trente ans et plus et la participation donnait droit à un *misthos*, un salaire. Ainsi, riches comme pauvres pouvaient participer à la vie publique. Ce Conseil avait notamment comme fonction d'étudier les projets de loi proposés par les citoyens et de formuler l'ordre du jour de l'*Ekklesia*, seconde assemblée publique.

L'*Ekklesia* – l'Assemblée du peuple – regroupait l'ensemble des citoyens qui pouvaient participer de façon directe à la prise de décision. Rarement étaient présents les 30 000 citoyens que comptait Athènes ; le quorum était de 6 000 personnes. Déjà dans l'Antiquité, l'absentéisme causait des remous, comme en témoignent certains auteurs comiques, tel Aristophane dans *Les guêpes*. Ce régime, louangé par certains, était donc néanmoins critiqué par plusieurs, au premier titre par certaines familles aristocratiques qui y perdaient leur influence politique.

L'Assemblée se réunissait quarante fois par année. Elle votait à mains levées les lois étudiées par la *Boulè* et, de plus, élisait divers magistrats, dont les plus importants étaient les stratèges, au nombre de dix.

Le Kleroterion, dispositif utilisé afin de tirer au sort les membres de l'Héliée.

Les stratèges étaient des chefs militaires élus chaque année à mains levées par l'Assemblée. Ils occupaient les fonctions les plus importantes, mais étaient soumis en contrepartie à un examen scrupuleux de la part de la *Boulè* et de l'*Ekklesia*. Chaque mois, ils pouvaient être démis de leur fonction et devaient rendre des comptes à la fin de leur mandat. Le tribunal de l'*Héliée*, composé de 6 000 citoyens tirés au sort chaque année, pouvait punir, voire condamner à mort ceux qui avaient failli. L'importance de la tâche de stratège n'avait d'égale que la responsabilité qui lui était associée

L'Âge de Périclès par Philipp von Foltz (1853) représentant Périclès donnant sa célèbre oraison funèbre.

GUERRE, OLIGARCHIE ET DÉMOCRATIE

À la naissance de Platon, un stratège monopolise déjà la vie athénienne : Périclès. Ce dernier, en effet, joua un rôle important dans la politique athénienne. Il fut élu stratège pendant quinze années consécutives entre ~443 et ~429. Périclès créa la Ligue de Délos, une alliance conclue entre plusieurs cités en vue de lutter contre l'invasion perse. Ayant repoussé l'envahisseur avec succès, Athènes devint une cité éminemment influente. Sous la direction de Périclès, elle mena une véritable politique impérialiste, transférant le trésor de l'île de Délos à Athènes, et puisant à même ce trésor pour financer ses plus importantes réalisations sur l'Acropole d'Athènes, dont l'immense Parthénon. L'historien Thucydide nous a rapporté ces paroles de Périclès qui illustrent bien la perspective hégémonique athénienne :

> « En un mot, je l'affirme, notre cité dans son ensemble est l'école de la Grèce et, à considérer les individus, le même homme sait plier son corps à toutes les circonstances avec une grâce et une souplesse extraordinaires. Et ce n'est pas là un vain étalage de paroles, commandées par les circonstances, mais la vérité même ; la puissance que ces qualités nous ont permis d'acquérir vous l'indique. Athènes est la seule cité qui, à l'expérience, se montre supérieure à sa réputation » (*Histoire de la guerre du Péloponnèse*, II, 41, trad. J. Capelle).

Cette politique impérialiste suscita la rancœur de plusieurs cités, au premier chef Sparte avec qui Athènes entrera en guerre. La guerre du Péloponnèse (~431-~404) sera un événement décisif pour la démocratie athénienne, et aussi pour le jeune Platon. À la naissance de celui-ci, Athènes est déjà en guerre et il vivra ce conflit toute sa jeunesse, jusqu'à ses vingt-trois ans.

Cette guerre dévasta la population athénienne. Captive à l'intérieur des Longs Murs qui relient Athènes à son port du Pirée, la population dut subir en outre une épidémie, sans doute de peste (quoique l'on ne s'entende pas aujourd'hui sur la nature exacte de la maladie qui affecta la population). Affaiblie par l'expédition catastrophique en Sicile, Athènes dut capituler aux mains des Spartiates. Elle se vit alors imposer un régime oligarchique, le régime des Trente. Parmi les gens au pouvoir se trouvent des proches de Platon, qui donneront chacun leur nom à un dialogue : Critias, cousin de Platon et Charmide, son oncle.

Le régime des Trente fut marqué par de nombreux actes violents, dont l'exécution de plusieurs métèques. La guerre civile qui s'ensuivit et la réinstauration de la démocratie affectèrent le jeune Platon. La démocratie athénienne et son impérialisme avaient causé la guerre. L'oligarchie des Trente avait été injuste dans ses actions. La fin des hostilités redonna-t-elle à Platon confiance en la démocratie ? Si oui, ce fut de courte durée, car, en ~399, Athènes condamne à mort Socrate.

L'expérience politique vécue de l'intérieur par Platon sera déterminante pour sa réflexion philosophique. Comment le régime qui condamne « l'homme le plus juste de cette époque » (*Lettre VII*, 324e) pourrait-il être juste ? *La République* apparaît sous cet aspect véritablement comme une réponse aux troubles politiques de l'époque.

Tribune des orateurs, sur la colline de la Pnyx où se tenaient les assemblées du peuple.

DÉMOCRATIE ET SOPHISTIQUE

Un dernier élément lié à la démocratie mérite que l'on s'y attarde, puisqu'il se trouve au cœur de *La République*. Fondée, comme nous l'avons dit, sur l'égalité de tous les citoyens, la démocratie directe supposait débats et capacité de convaincre : le régime démocratique faisait appel à la *persuasion* par la parole. En effet, si l'autorité commande l'obéissance, en revanche l'égalité suppose le ralliement. Pour prendre un exemple de type platonicien, nous pourrions dire que l'autorité du pilote d'avion le dispense d'avoir à nous persuader de le laisser piloter. Tous *acceptent* l'inégalité entre passagers et pilote, ce qui heureusement garantira le succès du vol. La même chose s'applique au médecin. Un médecin qui affiche son diplôme n'a pas à faire admettre que son diagnostic est le bon : si un patient consulte un médecin, c'est qu'il sait que le médecin a autorité en matière de santé. Sans autorité, la seule façon d'acquérir du pouvoir se trouve donc dans le fait de convaincre les autres. Dans ce contexte apparut une classe d'individus portant le nom de *sophistes*. Ces gens, maîtres dans l'art de la rhétorique, pouvaient enseigner à quiconque le désirait – et pouvait le payer – des techniques oratoires permettant de mieux persuader ses égaux.

Lorsqu'un citoyen proposait une loi, ou voulait se faire élire, il devait être en mesure d'influencer l'Assemblée. La rhétorique était l'instrument idéal pour cette tâche. Or, la rhétorique fut durement critiquée par Platon : celui qui veut persuader le fait-il en fonction de son propre intérêt ou en fonction de la vérité ? Le discours de l'orateur est forcément soumis à l'oreille de ceux qu'il veut persuader ; ses artifices langagiers visent uniquement l'approbation, nullement la vérité.

L'organisation politique est donc dépendante, soit du hasard par la pratique du tirage au sort, soit des désirs immédiats de ceux qui sont en mesure de persuader les autres. Si ces gens sont experts dans l'art de persuader, le sont-ils pour autant dans l'art politique ? Suffit-il de voir son nom tiré au sort pour prendre les bonnes décisions ? Suffit-il de savoir convaincre pour être apte à gouverner ? Le règne du sort et de la persuasion signifie ainsi pour Platon le règne de l'incompétence. Dans un cas comme dans l'autre, l'absence de direction claire est évidente. Ce constat fondera la nécessité pour Platon d'imaginer une classe d'hommes politiques destinés à l'exercice du pouvoir, ayant un savoir correspondant à la bonne pratique de cette activité. Cette thèse forme l'une des mesures les plus importantes de *La République* (*voir* « Les thèmes de *La République* », p. 34-37).

LE CADRE DRAMATIQUE ET LES PERSONNAGES DE *LA RÉPUBLIQUE*

Plusieurs personnages présents dans *La République* sont intimement liés au contexte évoqué précédemment. Nous avons notamment abordé le régime des Trente, installé par Sparte à la suite de sa victoire lors de la guerre du Péloponnèse. Parmi les victimes des Trente, on trouve une famille importante puisqu'elle est au cœur de l'ouvrage. Le dialogue se déroule, en effet, entièrement dans la maison de Polémarque. Avec lui se trouvent ses deux frères, Lysias et Euthydème, ainsi que leur père, Céphale. Ce dernier est syracusain d'origine (il est intéressant de rappeler que Platon commença la rédaction de *La République* à son retour de Syracuse en Sicile). À la fin des hostilités avec Sparte, Lysias et Euthydème avaient été expropriés et Polémarque exécuté. Dans le dialogue, ces personnages représentent les positions traditionnelles sur la justice, dont Platon veut rapidement montrer l'insuffisance (*voir* extrait **§ 1**).

Le théâtre grec de Syracuse.

Apparaît alors un personnage central de *La République*, bien que présent seulement au début du texte : le sophiste Thrasymaque, qui saute dans la discussion tel « une bête fauve » pour « mettre en pièces » Socrate et ses interlocuteurs (I, 336b).

Portrait de socrate. Copie romaine du 1er siècle d'un bronze grec réalisé probablement par Lysippe.

La position de Thrasymaque occupe une bonne partie du livre I (extrait **§ 1**). Il est le seul personnage de l'œuvre qui contredit directement Socrate en soutenant que la justice correspond à l'intérêt du plus fort. Ce portrait que dresse Platon ne correspond probablement pas aux positions du Thrasymaque historique, qui ne nous sont que vaguement connues. Il faut donc voir derrière ce personnage une mise en scène de la pratique de la rhétorique. Il représente la position sophistique, que Platon associe à la position démocratique. Il était donc important pour Platon de critiquer d'emblée la sophistique et, par le fait même, la démocratie en tant que régime politique.

Parmi les autres interlocuteurs, on trouve Adimante et Glaucon, deux frères de Platon. Ces deux personnages seront les véritables interlocuteurs de Socrate. Ils laissent libre jeu à Socrate, l'écoutent attentivement, posent des questions et désirent en apprendre plus sur la justice. Leur échange avec Socrate, calme et attentif, s'oppose au caractère bouillant et agressif de Thrasymaque ; la pratique de la philosophie et la recherche de la vérité s'opposent ainsi à la rhétorique et au désir de persuader à tout prix.

Socrate apparaissait fort probablement comme un individu singulier en ces temps troubles. Ne s'occupant pas du pouvoir ou des actions à poser, il abordait plutôt quiconque voulait bien discuter avec lui. Son combat ne se fit point avec les armes, mais avec les mots. Maître de la discussion, il apparaît dans *La République* comme le véritable porte-parole de Platon.

Pour résumer, nous pourrions affirmer que le dialogue de *La République* met ainsi en scène trois cultures différentes :

1. La culture traditionnelle (la famille de Céphale)
2. La culture démocratique (Thrasymaque)
3. La culture philosophique (l'entourage de Platon et Socrate)

Le Parthénon.

LES THÈMES DE *LA RÉPUBLIQUE*

La République forme probablement le dialogue le plus complexe de Platon, car il vise à définir la justice – notion englobante et fondamentale dans la Grèce antique, touchant aussi bien la cité que les vertus individuelles. De plus, le chemin que prend le philosophe pour se rendre à cette définition s'avère assez tortueux. Nous tenterons donc, dans les pages suivantes, de faire ressortir les étapes importantes qui marquent ce cheminement.

LE TITRE ET LE SOUS-TITRE

La porte d'entrée de tout ouvrage est évidemment son titre. Or, parler de *La « République »* de Platon constitue d'emblée l'usage d'une mauvaise traduction du titre grec original. Le dialogue porte en grec le titre de *Politeia*, terme technique qui désigne une constitution politique. À l'époque de Platon, chaque cité (*polis*) avait sa *politeia*, qui renfermait ses lois fondamentales. Le terme de « république » provient plutôt de la traduction latine de *politeia* par *res publica*, la « chose publique », et désigne alors une forme de gouvernement plutôt qu'une constitution. Les deux ne sont pas à confondre, car la forme de gouvernement est établie par la constitution et non l'inverse.

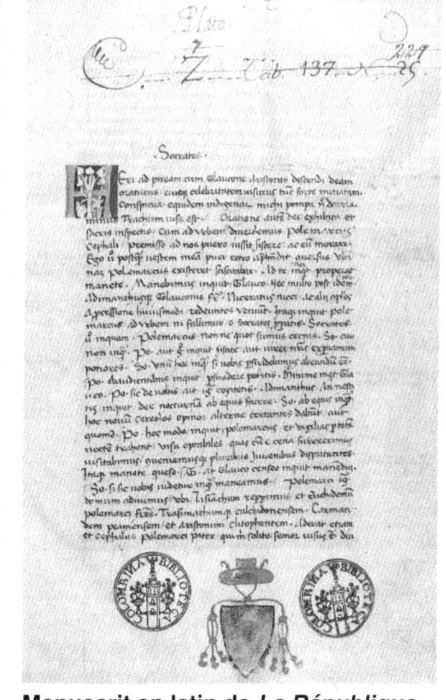

Manuscrit en latin de *La République* datant de 1401.

Le titre grec véritable implique un programme qui devait être clair pour tout lecteur antique : l'établissement d'une organisation politique précise, constituée de législations fondamentales. Il devait aussi supposer une discussion des différentes formes de gouvernement ainsi qu'une analyse de leurs valeurs respectives. Une telle analyse avait été initiée par Hérodote, qui, dans son *Enquête*, faisait état d'un débat entre Perses sur le meilleur régime : la démocratie, l'oligarchie ou encore la monarchie (III, 80-82). Ce débat célèbre se voulait d'ailleurs un pastiche des propos tenus dans la haute société athénienne.

Il semble par ailleurs que Protagoras, célèbre sophiste contemporain de Socrate, ait également rédigé une *Politeia* pour la colonie de Thourioi. Thourioi, fondée vers ~443, était à l'origine un projet d'une cité nouvelle élaboré par Périclès. Elle se voulait panhellénique et accueillit plusieurs personnages célèbres (dont Hérodote), ainsi que les trois fils de Céphale présents au début de *La République*, Lysias, Euthydème et Polémarque, qui y séjournèrent après la mort de leur père. Cette information est précieuse, car Thourioi connut rapidement une guerre civile, au cours de laquelle Athènes perdit de son influence sur cette colonie au point d'entrer en conflit avec elle vers ~413. Plusieurs historiens voient même dans cet échec athénien l'origine de la réflexion philosophique sur les constitutions idéales.

Ces quelques informations indiquent l'objectif premier de Platon : *présenter une constitution politique*. Le projet platonicien est d'emblée un projet philosophique, Platon ne s'intéressant pas tant à décrire divers régimes (ce qu'il fait néanmoins à sa manière au livre VIII), qu'à entreprendre *une recherche normative sur la meilleure organisation politique possible*. Or, cette meilleure organisation doit se faire en fonction d'un principe qui lui conférera son excellence : pour Platon, ce principe porte le nom de *justice*. C'est pourquoi la tradition a donné à *La République* le sous-titre *Sur la justice*. *La République* forme donc un ouvrage ayant comme premier objectif de définir la justice, et comme second d'établir les conditions relatives à la réalisation de cette justice dans le monde humain.

LA RECHERCHE DE PLATON : ÉTHIQUE ET POLITIQUE

Une des caractéristiques majeures de *La République* est la méthode employée par Platon pour réaliser ce double objectif. On pourrait formuler le problème de la façon suivante : une cité peut-elle être juste si ses citoyens sont injustes et, *a contrario*, une cité injuste peut-elle héberger des citoyens justes ? En fait, *La République* se fonde sur le postulat que la justice, pour être réelle, doit à la fois être le fait des individus et de la cité. Cette proposition suppose deux exigences qui encadrent le texte du dialogue. D'abord, l'éthique (le comportement juste de chacun) et le politique (l'organisation juste de la cité) se fondent sur *la même définition de la justice*. Cette définition doit donc être pleinement objective et universelle. Elle ne saurait être relative à chacun. Cette exigence provient de la conception platonicienne des Idées. Ce thème sera le premier abordé.

Thémis, déesse grecque de la justice.

Ensuite, le postulat selon lequel la justice est la même au niveau psychologique qu'au niveau politique suppose que *l'âme et la cité doivent être structurées de manière identique*. Platon présente clairement cette idée qui met en rapport une division de la société en trois classes distinctes et la division de l'âme en trois instances différentes. Il s'agira du second thème.

Finalement, établir les conditions de réalisation de la justice dans la cité, comme dans l'âme, implique de comprendre non seulement la structure de l'une comme de l'autre, mais aussi les principes qui la régissent. Il s'agira du troisième thème.

Ainsi, *La République* se construit autour de la recherche d'une définition de la justice qui serait applicable autant à l'âme qu'à la cité et qu'une constitution juste permettrait de réaliser. Ce projet s'élabore autour de trois thèmes centraux : la théorie platonicienne des Idées, la tripartition psycho-politique et le pouvoir de la raison.

La présentation de ces trois thèmes ne prétend pas épuiser la richesse constitutive de *La République*, mais vise plutôt à en baliser une lecture qui s'appuie à la fois sur ses aspects éthiques et politiques. L'objectif est de donner un aperçu des thèmes qui y sont traités, ouvrant la porte non seulement à une meilleure compréhension de l'œuvre platonicienne, mais aussi à une plus grande appréciation de son actualité.

LA THÉORIE PLATONICIENNE DES IDÉES

La République, bien qu'étant de par son titre d'abord un ouvrage politique, constitue également un ouvrage *métaphysique*. D'ailleurs, une partie de la tradition exégétique ne le considère que de ce point de vue, reléguant au second plan les positions politiques de Platon. Pourtant, le texte est clair : le politique est directement relié au métaphysique, car s'il faut trouver une façon juste d'organiser notre monde, nous devons le faire à partir d'un principe objectif et universel. Ce principe doit se trouver, pour Platon, dans ce qu'il nomme le *monde des Idées*.

Le dialogue reprend et développe une des thèses platoniciennes les plus importantes, celle de la distinction entre un univers *visible* (perçu par nos sens) et un univers *intelligible* (accessible par la pensée). Comme le dira Socrate : « Les choses multiples sont vues, et non conçues », tandis que « les Idées sont conçues et non vues » (VI, 507b, extrait **§ 3**). Cette distinction met en évidence le fait que, pour Platon, le monde visible – notre réalité – est multiple et changeant : on ne peut s'y fier pour *connaître véritablement* quelque chose. À l'inverse, l'univers intelligible, celui des Idées, ne peut pas être vu, il ne peut qu'être contemplé par l'intellect, et seules les Idées possèdent un caractère radicalement universel et objectif. S'il faut trouver une définition de la justice, on ne pourra la chercher que dans le monde intelligible.

Cette distinction a deux conséquences importantes qui sont présentées dans *La République* sous forme d'images marquantes. La première conséquence est *épistémologique*, car elle modifie notre rapport à la connaissance. Elle est clairement présentée par « l'image de la ligne » (VI, 509d-511a, extrait **§ 3**)[3], par laquelle Platon nous présente le cheminement que nous pouvons faire dans la connaissance. Dans le monde visible, nous ne pouvons qu'atteindre une opinion (en grec, *doxa*), qui s'approchera plus ou moins de la vérité, sans jamais l'atteindre. Cette

3. *Voir* Annexe 1, p. 151.

56903020 © Shutterstock

Mirage dans le désert.

opinion peut d'abord être « conjecture », puis « croyance », mais elle ne sera jamais « certitude ». Par exemple, comment savoir si l'eau que j'observe au loin sur le bitume est bien réelle ou bien s'il ne s'agit pas plutôt d'un mirage ? Je peux ne pas y penser et ne me borner qu'à constater l'image : il y a de l'eau. Je peux aussi constater qu'il fait chaud et qu'il y a de la sueur sur mon front. Il apparaît dès lors évident qu'il y a aussi de l'eau plus loin et je suis prêt à *croire* à cette éventualité.

Mais qu'est-ce qui nous permettrait de comprendre qu'il s'agit bien d'un mirage ? Pour Platon, si j'arrive à dire qu'il s'agit d'un mirage, c'est que j'ai déjà fait un saut qualitatif : je suis passé outre ce que me disaient mes sens, pour ne me fier qu'à ma raison. Mon âme m'a permis de faire *l'hypothèse* d'un mirage. Je m'approche de la vérité, mais je ne pourrai l'atteindre pleinement que lorsque j'aurai pleinement saisi l'Idée du mirage, sa définition propre. Cette définition ne correspond à aucun mirage concret (on ne peut voir une définition, on ne peut que la penser), mais elle peut décrire parfaitement *tous* les mirages que je verrai. Ainsi, pour Platon, les Idées forment les modèles à partir desquels toute la réalité visible peut se comprendre et se connaître ; elles fondent donc toute connaissance.

L'allégorie de la caverne. Gravure de Jan Saenredam (1604).

La seconde conséquence est *pédagogique*, car elle suppose une formation particulière permettant de quitter le monde de l'opinion pour atteindre celui de la vérité. Cette conséquence est présentée dans l'image célèbre de l'« Allégorie de la caverne » (VII, 514a-518b, extrait § 3)[4]. Dans cette image, directement reliée à celle de la ligne, Platon décrit l'ascension de la pensée du monde visible au monde intelligible. Sans résumer entièrement la fameuse allégorie – le texte de Platon est déjà clair – il convient néanmoins d'en souligner l'importance dans l'économie de *La République*. Quel objectif Platon avait-il en rédigeant cette étrange allégorie ? Il voulait certainement nous présenter le caractère libérateur de la philosophie qui, seule, peut nous sortir de l'aveuglement et nous apporter une véritable connaissance. Cette image nous met en présence de l'acte fondateur de la philosophie, celui de la remise en question de ce qui nous apparaît comme évident et qui, de ce fait, nous aveugle. Elle montre le caractère ardu de la pensée qui doit se défaire du conformisme ambiant, quitte à scandaliser. D'ailleurs, à la toute fin de l'allégorie, Platon s'interroge sur les sarcasmes auxquels devra

4. *Voir* Annexe 2, p. 152.

faire face le philosophe lorsqu'il redescendra dans la caverne. Il se demande même si les gens ne le mettront pas à mort, allusion évidente à la condamnation de Socrate (VII, 517a, extrait **§ 3**). La formation du philosophe doit donc se faire en fonction de cette ascension, et l'on peut relier dans cette analogie les pages de *La République* consacrées à la formation de ceux qui devront diriger la cité.

L'ascension du philosophe l'amène à s'extraire du monde de l'opinion (l'univers visible) pour accéder au monde de la connaissance (l'univers intelligible). Il peut alors contempler les Idées qui s'y trouvent. D'où celles-ci tirent-elles leur existence? Platon explique qu'il existe une Idée si importante qu'elle permet à toutes les autres d'exister. De la même façon que le soleil rend possible la vision dans le monde visible, de même l'Idée du Bien permet la contemplation de toutes les autres Idées. C'est cette Idée du Bien, qui forme le modèle de toute chose, que le philosophe doit être en mesure de contempler.

La distinction entre le monde intelligible et le monde visible revêt ainsi une importance primordiale dans la pensée de Platon et structure l'entièreté des propos de Socrate sur la justice. Cette distinction permet la découverte d'une définition objective et universelle de la justice, qui se trouve intimement reliée à une prise en compte de la structure de l'âme humaine, ainsi que de la cité politique.

Il faut aussi mentionner comment cette théorie se veut par ailleurs une réfutation du *relativisme*, théorie associée aux sophistes et, par le fait même, à la démocratie. Comme nous l'avons vu, selon Platon, la sophistique vise la persuasion, non la vérité; le débat sophistique apparaît comme un combat pour imposer un point de vue sans égard à sa véracité. Or, pour Platon, cette lutte verbale est contraire à la philosophie. C'est pourquoi, dans le livre I, Socrate discute longuement avec le sophiste Thrasymaque afin de montrer l'insuffisance de sa position. Ce dernier va soutenir que la justice est « l'intérêt du plus fort » (I, 338c) et que l'injustice est plus profitable que la justice (I, 344a, extrait **§ 1**). Pour Platon, cette position est impossible et sa réfutation sera sans appel. Nous reproduisons dans cette édition la globalité du livre I.

LA TRIPARTITION PSYCHO-POLITIQUE

À la toute fin du livre I, Socrate et ses interlocuteurs admettent que la discussion qu'ils ont eue précédemment n'a pas porté fruit. Non seulement n'ont-ils pas été en mesure de définir la justice, mais ils ne peuvent pas non plus affirmer si la justice procure le bonheur ou non. À tout le moins, la discussion aura servi à discréditer les définitions traditionnelles et sophistiques de la justice : si nous ne savons pas encore ce qu'elle est, nous savons ce qu'elle ne peut pas être.

Au début du livre II, la discussion se poursuit, mais rapidement la difficulté de la tâche forcera Socrate à établir une méthode précise pour parvenir à une définition de la justice. La discussion qui concernait jusqu'à maintenant l'individu portera dès lors sur la cité. Aux yeux de Platon, si la justice existe pour un individu, elle doit aussi exister pour la cité. Puisqu'une cité est un ensemble plus vaste qu'un individu, il se peut qu'il soit plus aisé d'y découvrir ce qu'est la justice. Une fois la définition trouvée, il sera possible de la reporter sur l'individu.

Le point de départ de cette recherche sera l'émergence d'une nouvelle cité. Socrate s'intéresse donc aux origines de la cité, afin de voir à quel moment de son développement apparaîtront la justice et l'injustice. Du même coup, il s'interroge sur la nature même de la cité, ou plus généralement sur ce qui permet à une société d'exister en tant que telle. Il convient de résumer les moments forts du développement de cette cité puisque cette explication ne fait pas partie des extraits que nous reproduisons.

Selon Socrate, une cité se forme parce que, chacun de nous n'étant pas en mesure de répondre individuellement à tous ses besoins, nous ne pouvons vivre seuls, en autarcie totale. Nous avons ainsi besoin des autres et c'est pourquoi nous nous rassemblons en cités (II, 369bc). Parmi ces besoins, Socrate en cible particulièrement trois : la nourriture, le logement et les vêtements. Il se pose alors la question suivante : est-ce que chaque individu sera responsable de son propre travail ou tous ne procèderont-ils pas à une mise en commun des fruits de leur labeur ? N'est-il pas mieux qu'une personne s'occupe de l'agriculture pour tout le groupe ? Que tel autre confectionne des vêtements pour la communauté ? Socrate présente bien, comme fondement de toute société, ce que l'on nomme aujourd'hui la division du travail : la spécialisation de chacun est la conséquence du rassemblement des individus afin de combler leurs besoins.

Il s'agit ici d'un des thèmes essentiels de *La République* qui, en fait, constitue déjà, de façon embryonnaire, la définition socratique de la justice. Bien que cette définition ne doive être explicitement présentée

Scène de banquet (~500-~470), où l'un des participants ne se sent pas très bien... Musée national du Danemark.

que plus tard, au livre IV (*voir* extrait § 2), elle apparaît déjà aux origines de la cité. La justice, dira Socrate, existe lorsque chaque individu « s'occupe de ses affaires ». Pour l'instant, les « affaires » présentées se limitent à quelques-unes, essentiellement d'ordre matériel.

Socrate poursuit donc le récit du développement de sa cité qui s'agrandit toujours plus, car l'agriculteur ne pouvant produire lui-même ses outils, il faudra donc des forgerons. Mais ceux-ci auront besoin de matière première. La cité se gonfle donc progressivement d'une multitude d'individus, notamment de commerçants et de marchands avec lesquels sera introduit l'argent. Le commerce fournira des matériaux, mais aussi des produits de luxe, engendrés par la richesse qui s'accumule. Or, arrivé à ce terme, Socrate voit qu'il est en train de décrire une cité de « pourceaux », une cité « gonflée d'humeurs » (II, 372de). Cette cité entrera certainement en conflit, il faudra donc établir un nouveau type de tâche, gardien de la cité, bien que l'on ne sache précisément encore si les gardiens remplissent une fonction militaire ou politique, ce que Platon précisera plus loin.

Socrate tentera alors de « purifier » cette cité (comme il le dira en III, 399e). Cette purification s'effectue par l'éducation des gardiens dont la tâche importante requiert une attention particulière (II, 374de). Socrate élabore un programme strict où les jeunes gardiens sont d'abord éduqués par la poésie et la musique (seuls certains récits, certains rythmes et certaines harmonies propres à rendre vertueux seront tolérés) et ensuite par la gymnastique (un régime et des exercices favorisant un corps alerte et vif). Socrate distinguera par la suite deux groupes dans la classe des gardiens, les *gardiens* à proprement parler qui dirigeront la cité et les *auxiliaires* qui occuperont une fonction militaire (III, 414ab). Ces deux groupes s'ajoutent ainsi au premier groupe évoqué plus haut, celui des producteurs.

On saisit dès lors beaucoup mieux ce que voulait dire « s'occuper de ses affaires » : la cité idéale, pour Platon, doit être divisée en trois groupes d'individus qui seront responsables de tâches bien distinctes. Les producteurs œuvreront de leurs propres mains afin de répondre aux besoins essentiels de la cité, les auxiliaires protégeront la cité des ennemis extérieurs, tandis que les gardiens veilleront à la bonne organisation de la cité. Ces trois tâches sont entièrement distinctes, car elles font appel à trois caractères clairement définis. Ces caractères renferment en fait une dimension psychologique et désignent précisément des *comportements* ou des traits de l'âme : la division psychique rejoint parfaitement la division politique.

- Être producteur, cela signifie être un homme attaché aux besoins. Cette classe est donc régie par la concupiscence, elle ne fait que *désirer*.
- Être auxiliaire, cela signifie ne pas avoir peur de se sacrifier et de lutter pleinement pour le bonheur de la cité. Cette classe est donc régie par la *colère* (qu'il ne faut pas interpréter comme de la méchanceté, mais au contraire comme une sorte d'ardeur à la tâche), par les forces du *cœur*.
- Enfin, être gardien, cela implique d'être en mesure de réfléchir sur la cité et son organisation la meilleure. Cette classe est donc régie par la *raison*.

Où se trouve la justice dans ce tableau ?

Puisque la justice est une vertu, il faudra d'abord considérer les vertus associées aux différents groupes. Quelle vertu peut s'associer à la concupiscence des producteurs ? Pour Platon ce sera la *tempérance*. De même, les auxiliaires devront posséder le *courage* et les gardiens la *sagesse*. La *justice* sera alors la vertu d'harmonie, lorsque chaque groupe s'occupera vertueusement de son travail. Autrement dit, une cité sera juste si les producteurs agissent avec tempérance en soumettant leur désir à la raison des gardiens, si les auxiliaires agissent avec ardeur en acceptant la raison des gardiens et si ces gardiens dirigent l'entièreté de la cité conformément à la raison (*voir* l'extrait § **2** qui présente cette explication dans son intégralité).

La situation décrite par Platon pourrait se résumer dans le schéma suivant :

CITÉ	ÂME	VERTU	
Producteurs	Concupiscence	Tempérance	
Auxiliaires	Colère	Courage + Tempérance	Justice
Gardiens	Raison	Sagesse + Courage + Tempérance	

La justice correspond dès lors à l'organisation harmonieuse et vertueuse des trois classes.

Au-delà de ces considérations plus techniques, il faut voir – que nous soyons d'accord ou non avec cette définition de la justice qui implique *de facto* une structure psychique et politique déterminée – l'enjeu philosophique sous-jacent, car cet enjeu nous révèle un des thèmes majeurs de *La République*.

Platon, nous l'avons dit, a vécu la guerre avec d'autres cités, mais encore plus déchirantes furent les *dissensions internes* à Athènes, entre les partisans de la démocratie et ceux de l'oligarchie mise en place par Sparte, à laquelle, faut-il le rappeler, participaient des membres de la famille de Platon. Ces dissensions apparurent très dommageables pour le bien-être de la cité, mais aussi pour la réalisation de la justice. Cependant, Platon ne prétend pas qu'il puisse exister une seule classe d'individus, un seul intérêt commun, ce qui aurait pour effet d'éliminer d'emblée toute dissension possible. Pour le dire autrement, Platon constate l'inéluctable pluralité de la société, composée de différentes personnes, avec différents intérêts et différents comportements.

Cela dit, cette pluralité associée à la cité doit être combattue, car elle menace le corps politique. Voilà pourquoi Platon conçoit la justice non comme une vertu particulière à un groupe, mais comme la vertu de l'ensemble. La justice est ce qui permet à la pluralité de s'unifier; elle est la solution qui permet d'éradiquer les conflits dans la cité.

Ce faisant, Platon effectue un constat intéressant en parlant de la politique comme lieu de conflits ou, à tout le moins, comme lieu d'un conflit toujours potentiel en raison de la pluralité qui s'y trouve. Pour l'auteur de *La République*, l'œuvre politique doit s'attarder à résoudre ce conflit en conférant un ordre unitaire à la cité. Cet ordre peut s'instaurer au prix d'une division stricte en trois classes où chacun, s'occupant de sa tâche, évite de se mêler de celle des autres. L'harmonie est rendue possible grâce à l'unité de chaque classe, assurée par ses vertus et par l'éducation qui lui sera donnée.

Ce constat politique prend une importance particulière lorsqu'on le replace au niveau de l'âme humaine. En effet, Platon développe ainsi une conception de l'âme comme traversée d'un conflit permanent entre différentes instances, l'orientant tantôt vers le désir, la colère ou la raison. Cette conception aura de nombreuses répercussions; il suffit de penser à Freud qui reprendra, certes de façon différente, un schéma tripartite pour parler d'une âme humaine désunie (Inconscient – Préconscient – Conscient, puis Ça – Moi – Surmoi). La tripartition platonicienne de l'âme, d'une radicale nouveauté, a surtout une portée philosophique. Au livre IV (extrait **§ 2**), Platon s'interroge sur le désir: puis-je désirer quelque chose, mais en même temps refuser d'acquiescer à mon désir? Si oui, il faut bien admettre qu'il y a un conflit en moi. Ce conflit, comme en politique, peut devenir dissension et rendre toute vie impossible. Il faut donc ordonner l'âme de façon à ce que toutes les instances présentes en elle s'harmonisent avec les autres de façon convenable. Cette organisation devra cependant se conformer à une *hiérarchie* très précise, qu'il nous faut maintenant analyser.

LA RAISON AU POUVOIR

Selon Platon, l'organisation juste de la cité doit se faire en fonction des caractéristiques propres à chaque classe. Devrions-nous d'emblée confier le pouvoir aux producteurs, gens du désir? Cette option est in-

Hortus deliciarium (***Jardin des délices***) (12e siècle). Détail d'une illustration qui représentait les sept arts libéraux (la grammaire, la rhétorique, la dialectique, la musique, l'arithmétique, la géométrie et l'astronomie). Au centre de l'illustration se trouvent Platon et Socrate, sous la philosophie, présentée sous les traits d'une reine.

concevable, car le désir demande toujours une satisfaction, il est incapable par lui-même de se contrôler. Une société du désir court à sa perte. Faut-il plutôt se fier aux auxiliaires remplis de colère et d'ardeur ? L'ardeur peut certes être bénéfique, mais si elle s'oriente en fonction du désir, elle ne fait que décupler celui-ci. Désirer une chose n'a pas la même signification que la désirer ardemment…

Ainsi, Platon en arrive au constat que ce sont les gardiens qui doivent diriger. Pourquoi ? Seuls les gardiens, de par leur éducation particulière, seront en mesure de contempler les Idées. C'est pourquoi seuls ces gens sauront agir en fonction de la raison, avec sagesse. Seuls ceux-ci pourront établir une organisation juste. Comme le fondateur de l'Académie l'exprime clairement dans une lettre où il parle vraisemblablement de *La République* :

« Je fus nécessairement amené à dire, en un éloge à la droite philosophie, que c'est grâce à elle qu'on peut reconnaître tout ce qui est juste aussi bien dans les affaires de la cité que dans celles des particuliers ; que donc le genre humain ne mettra fin à ses maux avant que la race de ceux qui, dans la rectitude et la vérité, s'adonnent à la philosophie n'ait accédé à l'autorité politique ou que ceux qui sont au pouvoir dans les cités ne s'adonnent véritablement à la philosophie, en vertu de quelque dispensation divine » (*Lettre VII*, 326b, trad. L. Brisson).

Les véritables gardiens de la cité seront donc des philosophes. Le gouvernement que propose Platon se fonde ainsi sur la direction par une classe d'individus savants, possédant un savoir technique précis ainsi que des dispositions naturelles favorables au développement de la raison.

Ce dernier élément constitue un thème majeur de *La République*, qui sera récurrent dans les autres écrits politiques de Platon (*Lois* et *Politique*), celui d'un gouvernement savant. Cette idée va d'ailleurs inaugurer, pour ainsi dire, ce que nous appelons aujourd'hui la « science politique ». Elle se fonde sur le postulat que la politique est matière à connaissance scientifique et que le bon dirigeant doit maîtriser la « technique » de gouvernement. Ce thème a une résonance particulièrement actuelle, sur laquelle nous reviendrons (*voir* p. 42-46).

Comment Platon exprime-t-il cette idée ? Au livre VI, il compare la direction politique au pilotage d'un navire. La question, simple, est la suivante : embarqueriez-vous sur un bateau dont le pilote ne connaît rien à la navigation ? Reprenons l'exemple de façon plus actuelle. Qui serait prêt à embarquer dans un avion dont le pilote serait tiré au sort parmi les passagers (souvenons-nous du caractère démocratique du tirage au sort) ? Personne n'oserait faire pareil voyage, bien évidemment. Alors, nous dit Platon, pourquoi agir ainsi lorsqu'il s'agit de la politique ? Pourquoi confier à n'importe qui le soin de la cité ? L'argument est important dans le dialogue, mais on peut se questionner sur sa validité. S'agit-il d'une fausse analogie ? Peut-on véritablement comparer la politique au pilotage d'un navire ? Quoi qu'il en soit, nous percevons encore aujourd'hui, pour le meilleur et pour le pire, l'influence de cette métaphore : piloter un navire se dit en grec *kubernaô*, terme à l'origine du mot « gouvernement ». Ainsi, nous pourrions dire que nous utilisons, pour nommer le pouvoir politique, ce qui n'était d'abord qu'une métaphore platonicienne et, qui plus est, une métaphore dont Platon s'est servi pour critiquer la démocratie !

L'organisation psychique que propose Platon suit la même logique. Certes, nous avons en nous une partie concupiscente et une partie colérique. Pour Platon, il ne s'agit pas de nier le fait qu'un être humain soit rempli de désirs ou d'impulsions diverses. Toutefois, chaque individu doit réussir à contenir ceux-ci dans les bornes de sa raison. Si nous devions toujours céder à nos désirs, nous en serions les esclaves. Pour Platon, l'individu doit être en mesure de s'ordonner lui-même et de s'harmoniser, et cela n'est possible que s'il confie la direction de son âme au principe directeur qu'est la raison. Ainsi, celui qui refuse de s'ordonner sera soumis et dépendant, il ne pourra jamais être heureux. La conclusion de *La République*, sous la forme d'un mythe philosophique (extrait § 4), révèle ainsi les avantages et le bonheur liés à la justice.

LES EXTRAITS CHOISIS

Nous avons tenté, dans la sélection des extraits de *La République*, de cerner les moments forts dans l'élaboration des thèmes principaux présentés ci-dessus. Cette sélection se fonde également sur le découpage du dialogue qu'a proposé dans sa traduction anglaise Robin Waterfield. La division de *La République* en dix livres étant due, non pas aux articulations du texte, mais aux limitations physiques des papyrus employés à l'époque, un découpage thématique apparaît tout à fait légitime. Les quatre sections que nous avons retenues correspondent à quatre chapitres de l'édition de Waterfield, même si les titres que nous donnons aux sections sont de nous.

- § 1. *Le mythe, les poètes et les sophistes. Platon face aux définitions de la justice de l'époque.*
  La première partie recouvre l'entièreté du livre I, dans lequel Socrate discute des définitions traditionnelles et sophistiques de la justice afin de les réfuter (327a-354c).

■ § 2. *Justice de l'âme, justice de la cité. La définition de la justice de Platon.*
La seconde partie, qui présente les dernières pages du livre IV, permet de comprendre la définition platonicienne de la justice ainsi que la tripartition de l'âme et de la cité (427c-445e).

■ § 3. *Le philosophe et la contemplation du Bien. L'éducation du philosophe.*
La troisième partie, qui présente la fin du livre VI et le début du livre VII, permet de comprendre la conception platonicienne du Bien et l'éducation que le philosophe devra recevoir afin d'être en mesure de contempler la justice (502c-521b).

■ § 4. *Le juste est heureux. Le mythe final.*
La quatrième partie, qui présente les dernières pages de *La République* au livre X, met en relief la conclusion du dialogue qui, sous la forme d'un mythe, indique les avantages d'une vie juste (608c-621d).

LA RÉSONANCE ACTUELLE DE *LA RÉPUBLIQUE*

La République, telle que nous l'avons décrite, se présente comme un ouvrage politique, établissant l'organisation juste d'une cité idéale, mais aussi comme un ouvrage éthique, décrivant la constitution de notre âme et la façon de la rendre excellente. Cette double perspective qu'explore le dialogue a encore aujourd'hui son actualité. Comment pourrions-nous admettre que notre société soit *entièrement* juste ? Pourrions-nous affirmer avec certitude que *tous* les citoyens qui la composent le soient aussi ?

LA RAISON ET LES DÉSIRS

On pourra s'interroger sur les caractéristiques que donne Platon de la démocratie. Selon lui, la démocratie représente le régime de l'égalité. Cela suppose qu'en démocratie tous les citoyens soient égaux, certes, mais aussi que « l'individu démocratique » place tout sur un pied d'égalité, particulièrement ses *désirs*. La société démocratique est donc affligée de deux maux. D'une part, en égalisant des gens inégaux (plus ou moins forts, plus ou moins vifs, plus ou moins intelligents), elle crée une terrible injustice. D'autre part, en valorisant à outrance la réalisation des désirs, elle rend impossible toute forme de tempérance. L'individu démocratique est incapable de hiérarchiser ses désirs, il succombe à l'un ou à l'autre, selon l'humeur du moment. Comment une société peut-elle exister si ses citoyens n'acceptent pas de se modérer ? Pour Platon, l'égalitarisme démocratique est la recette de l'anarchie. Cette critique de la démocratie trouve dans nos sociétés une portée que Platon ne pouvait pas imaginer.

Certes, à l'époque de Platon, il existait des marchands et des commerçants qui pouvaient s'enrichir – la famille de Céphale présentée au début de *La République* en est un bon exemple –, il existait aussi des individus mus par la seule volonté de s'enrichir toujours plus. Toutefois, en ce temps-là, l'économie n'était pas *capitaliste* ou *libérale*, et les prin-

61671856 © Shutterstock

Achetez maintenant, payez plus tard ! La société capitaliste favorise davantage le désir que la raison.

cipes d'égalité et de pouvoir ne se mesuraient pas en termes foncièrement économiques. Telle est pourtant aujourd'hui notre réalité. Or, le capitalisme, qui structure les relations économiques dans notre société, a subi des modifications importantes au 20e siècle, et les crises financières récentes nous ont montré à quel point notre système repose aujourd'hui principalement sur la création de la richesse, rendue possible par l'élargissement important du *crédit*. Cependant, pour qu'une banque prête à crédit, cela suppose qu'il y ait des consommateurs prêts à acheter à crédit. Notre système économique fonctionne davantage sur une augmentation toujours plus vertigineuse de la consommation que sur la simple croissance de la production pour assurer la couverture des besoins. D'ailleurs, à la suite des attentats du 11 septembre 2001, le président Bush n'a-t-il pas demandé à sa population de *retourner consommer comme d'habitude* ? Notre système n'est pas tant menacé par une attaque terroriste, que par la *perte de confiance des consommateurs*. Qu'a donc Platon à nous apprendre dans ce contexte ?

Notre société de consommation, contrairement à ce que nous demande Platon, favorise de loin le désir plutôt que la raison. Ironiquement, on pourrait résumer notre époque par le célèbre slogan de

Mai 68 selon lequel il faut «*jouir sans entrave*». Les chiffres sont à cet effet éloquents. Entre 1988 et 2008, l'endettement à la consommation au Québec est passé de 4,5 % à 38 %, une hausse de 700 % ![5] On peut expliquer ces chiffres de différentes manières, par l'accès au crédit ou encore le marketing («*achetez maintenant, payez plus tard!*»). Toutefois, aucune de ces raisons n'est valide si le consommateur n'a pas d'abord déchaîné ses désirs. Un des objectifs du marketing est évidemment d'amener le consommateur à confondre ces derniers avec ses besoins. La consommation repose donc sur l'achat compulsif, plutôt que sur la réflexion. Platon n'aurait jamais pu parler «d'achat compulsif», encore moins de «pulsions», mais il faut néanmoins relever l'actualité de la psychologie platonicienne, qui affirmait *in fine* qu'aucune société ordonnée ne peut exister si les désirs ne sont pas pris en charge et dirigés par la raison.

La raison permet certainement de contrôler le désir, qui ne doit pas être laissé à ses propres impulsions. Pour Platon, un désir sans contrôle ne peut mener qu'à l'anarchie, puisque non seulement aucun individu n'acceptera de limiter son désir face aux autres – débouchant là, nous le voyons aujourd'hui, sur un égoïsme exacerbé – mais cet individu refusera aussi de limiter lui-même ses désirs. L'anarchie se situera donc aussi dans l'individu. À cet effet, Platon a des mots très actuels.

Au livre VIII, Platon présente les différents régimes politiques ainsi que les individus qui les composent. Parlant de la démocratie, il souligne l'entière liberté et l'égalité qui y règnent. L'individu démocratique est donc aussi libre et égalitaire dans sa vie, mais cela exacerbe son manque direction. Il écrit:

> «Ainsi donc, repris-je, il passe chacune de ses journées à complaire au désir qui se présente: aujourd'hui il s'enivre aux sons de la flûte; demain il boit de l'eau et s'amaigrit; tantôt il s'exerce au gymnase, tantôt il est oisif et n'a souci de rien; quelquefois on le croirait plongé dans la philosophie; souvent il est homme d'État, et, bondissant à la tribune, il dit et fait ce qui lui passe par la tête. Un jour il envie les gens de guerre, et il se porte de ce côté; un autre jour, les hommes d'affaires, et il se jette dans le

5. Camil Bouchard, «Réalisation de soi et surconsommation – Au Québec, les fourmis sont devenues cigales», *Le Devoir*, 17 mai 2010.

commerce. En un mot il ne connaît ni ordre ni contrainte dans sa conduite ; c'est pour lui un régime agréable, libre, bienheureux qu'une telle vie, et il n'a garde d'en changer » (VIII, 561cd, trad. É. Chambry).

50001598 © Shutterstock

La consommation excessive entraîne des conséquences écologiques importantes.

Nous savons aujourd'hui que ce n'est pas uniquement l'ordre de la société qui est menacé par le désir, mais aussi la simple possibilité d'une vie future sur terre, car la consommation a de graves conséquences écologiques. D'ailleurs, même si Platon ne pouvait envisager le monde dans lequel nous vivons, il faut souligner comment les adeptes de la simplicité volontaire choisissent *volontairement* de réduire leur consommation. C'est donc par leur *raison* qu'ils contrôlent leurs désirs et ils agissent, du moins de ce point de vue, en parfaits platoniciens.

SAVOIR ET POUVOIR

Si la réflexion de Platon sur l'âme a son actualité, on peut en dire autant de sa pensée politique. Au lendemain de la Seconde Guerre mondiale, le philosophe Karl Popper, dans un livre intitulé *La société ouverte et ses ennemis*, reprochait à Platon d'avoir été le premier penseur totalitaire, et ainsi, en quelque sorte, d'avoir rendu possible un régime politique aussi aberrant que celui de l'Allemagne nazie. Cette critique virulente fit date et la pensée politique de Platon fut perçue dès lors comme dangereuse. Aujourd'hui, on préfère se distancer de cette lecture « totalitaire » de *La République* (qui relève d'un anachronisme évident), pour s'intéresser plutôt à la façon dont Platon envisage un régime certes autoritaire, mais un régime dont les caractéristiques sont particulièrement pertinentes au regard de nos sociétés. On trouve, en effet, un écho important de la pensée platonicienne dans la conception du pouvoir prévalant dans nos démocraties libérales. De plus en plus, en effet, nous entendons nos dirigeants affirmer devoir se soumettre à la « saine gouvernance ». L'utilisation de ce terme est intéressante, puisqu'elle dénote, comme chez Platon, la volonté de distinguer une *pratique* (le gouvernement) d'une *technique* (la gouvernance), à laquelle la première sera assujettie. Comme chez Platon, le souci principal semble être de créer une hiérarchie entre gouvernants et gouvernés. Pour s'assurer que les gouvernés n'aient pas en tête de se gouverner eux-mêmes (ce qui est la définition de la démocratie), il faut leur laisser entendre qu'ils *ne savent pas* comment gouverner et que seuls les experts *en gouvernance*, parce qu'ils sont experts, non seulement savent gouverner, mais en plus ont à cœur les intérêts des gouvernés.

L'importance que l'on accorde aujourd'hui à la gouvernance révèle de fait que le souhait platonicien d'une technocratie, ou d'un pouvoir d'experts, est bien réel dans nos sociétés. Évidemment, on pourrait affirmer que l'expertise que recommande Platon n'est plus la même à présent. En effet, pour Platon, l'expert qui doit diriger est ce philosophe qui, après un cursus pédagogique précis, pourra contempler l'Idée du Bien et ainsi réaliser la justice sur terre. Le philosophe n'est pas mû par son propre intérêt, mais par celui de la justice. De nos jours, il est facile de voir que le philosophe épris de justice n'a plus vraiment d'écoute auprès du pouvoir. Les spécialistes convoqués par nos technocraties sont bien davantage des spécialistes de la gestion et de l'organisation. Ils maîtrisent la science *économique*, de laquelle découle la gouvernance.

Cette conception technocratique du pouvoir ne se retrouve toutefois pas uniquement du côté des dirigeants, mais semble aussi partagée de plus en plus par la population. Nombreux sont ceux qui proclament de fait leur ignorance sur les grands enjeux politiques lorsqu'ils réclament l'intervention toujours plus importante d'experts dans le débat public. Ce désengagement des citoyens risque d'occasionner un retranchement dans le *cynisme*, qui relève peut-être aussi d'une indifférence pour la prise de décision démocratique. S'agit-il d'aller voter, on invoque la lassitude de la population ou le coût d'une telle pratique. S'agit-il d'aller manifester, on préfère se confiner au foyer pour s'occuper de ses propres affaires. Sans aller jusqu'à affirmer que cette attitude soit sciemment encouragée par nos dirigeants, il apparaît toutefois évident qu'aucune démocratie ne peut exister si le *démos*, le peuple, ne participe activement aux décisions.

Encore une fois, dans la perspective platonicienne, la tâche du pouvoir doit être restreinte au groupe des savants, laissant donc au peuple les simples tâches productives. Pour que cette organisation fonctionne, il faut non seulement que les gouvernants se proclament experts, mais aussi que le peuple accepte lui-même de se délaisser de son pouvoir, en ne se consacrant qu'à d'autres tâches de nature économique. Ce n'est donc pas un hasard si l'on observe une augmentation effrénée de la consommation, qui est inversement proportionnelle à l'engagement des citoyens. La distinction entre gouvernants et gouvernés devient alors encore plus grande. La démocratie, exigeante, peu efficace et coûteuse, ne semble plus valorisée de part et d'autre, car elle contrecarre l'efficacité recherchée dans la bonne gouvernance, elle-même liée à une saine gestion pragmatique et économique.

Autre exemple, les décisions les plus fondamentales quant à l'avenir de nos sociétés se prennent aujourd'hui le plus souvent au sein de forums économiques ou dans des assemblées supranationales (comme le G20 ou les multiples organismes internationaux régissant l'économie, l'environnement ou la gestion d'autres enjeux politiques) sur lesquelles les institutions démocratiques traditionnelles n'ont que peu d'influence. La politique parlementaire est de plus en plus secondaire et ne gère que des particularismes locaux, ajoutant au cynisme et au sentiment d'impuissance des citoyens.

Sur ce point, Platon nous fournit néanmoins une critique possible. Si le citoyen, relégué au simple statut de consommateur, agit selon des désirs spontanés, comment arriver à établir une science de la gouvernance de ces mêmes individus ? Plus fondamentalement, comme nous l'avons dit, les « experts dans l'art de gouverner » ne prônent pas tant

Le pouvoir de l'économie. Le New York Stock Exchange, haut lieu de la finance internationale.

un pouvoir fondé en raison qu'une gestion pragmatique, visant notamment « l'efficacité et l'efficience » – l'efficience, faut-il le rappeler, signifie la « capacité de rendement » et donc le retour sur l'investissement. Platon n'accepterait certainement pas de remplacer la contemplation de la justice par l'appétit « productif » de la richesse, il y verrait même un profond motif de dissension et de corruption.

Cependant, les gouvernements d'aujourd'hui qui font appel à la gouvernance, véritable « science du gouvernement », reprennent en fait une partie de la solution platonicienne : la critique de l'arbitraire démocratique qui place l'idéal d'égalité devant l'autorité du savoir. À l'imprévisibilité inhérente au gouvernement démocratique, on substitue le contrôle et l'ordre, caractéristiques intrinsèques de toute science. La thèse démocratique, dont Thrasymaque se fait le représentant le plus extrême dans *La République*, apparaît choquante pour Platon, car elle suppose que l'exercice du pouvoir ne peut être subordonné à aucun savoir donné. Contre cet arbitraire, Platon inventa « l'art de gouverner », savoir accessible à une minorité. Pour ce dernier, les philosophes étaient aptes à acquérir ce savoir. Aujourd'hui, ce sont les spécialistes de la gouvernance, mais, dans un cas comme dans l'autre, la conception d'un « art de gouverner » met au jour ce que le philosophe Jacques Rancière a nommé « la haine de la démocratie », un mal qui afflige autant Platon que les défenseurs de la « saine gouvernance[6] ».

Et si Platon avait tort de penser que le pouvoir repose sur une science accessible à une minorité, mais au contraire sur la capacité de chacun à réfléchir de façon critique ? Si chaque citoyen, par une éducation appropriée, était en mesure de se diriger d'après la raison, sans pour autant renier son ardeur ou ses désirs, n'y aurait-il pas là une solution aux maux actuels ? Si la démocratie doit s'accommoder de gardiens, leur tâche ne pourrait-elle pas revenir à tous les citoyens, éduqués en vue du bien commun ? Ce programme est sans aucun doute ardu – il rejoint le défi que représente la sortie hors de la caverne – et on peut s'interroger à cet effet sur la mission de l'école d'aujourd'hui. Remplit-elle ce rôle ou ne devient-elle pas simplement, selon le mot de Jean-Claude Michéa, « l'école du capitalisme total », proposant des « savoirs jetables [...], dans la mesure où, s'appuyant sur des compétences plus routinières, et adaptés à un contexte technologique précis, ils cessent d'être opérationnels sitôt que ce contexte est lui-même dépassé[7] » ?

Déjà, en 1979, le sociologue réputé Christopher Lasch faisait ce dur constat : « L'objectif démocratique, qui consistait à donner aux masses accès à la culture, se traduisit, en pratique, par le souci de faire de l'éducation une forme de contrôle social[8]. » Tel serait aujourd'hui notre « noble mensonge », terme que Platon utilise lorsqu'il est question de convaincre la population de la réalité des trois classes (III, 414b) : l'éducation, que l'on dit démocratique, favoriserait et renforcerait au contraire le pouvoir d'une élite autoproclamée, selon laquelle le bon gouvernement est assujetti aux règles de la gouvernance. Il est fort probable que cette éducation déficiente – la seule pourtant qui pourrait garantir une véritable démocratie – ne permet plus à tous les citoyens de penser la société comme un tout, qui doit grandir de la pluralité des points de vue plutôt que de s'enfermer dans un modèle unique de pensée et d'organisation, qu'il soit celui de la « justice » platonicienne ou du « marché libre » de nos sociétés.

6. Jacques Rancière (2005). *La haine de la démocratie*. Paris, La Fabrique.
7. Jean-Claude Michéa (1999). *L'enseignement de l'ignorance et ses conditions modernes*. Paris, Climats, p. 39 et 44-45.
8. Christopher Lasch (2006). *La culture du narcissisme*. Paris, Flammarion, p. 174.

QUESTIONS D'ANALYSE ET DE SYNTHÈSE

Nous donnons ici dix questions qui permettront de réfléchir sur certains enjeux de *La République*. Ces questions ne prétendent pas épuiser les réflexions possibles, mais cherchent à baliser certains thèmes qui sont, encore aujourd'hui, plus que jamais d'actualité.

Questions de nature politique :

- La justice est-elle relative à chacun ?
- La justice ne peut-elle être que l'intérêt du plus fort ?
- Une société hiérarchisée peut-elle être juste ?
- Le savoir constitue-t-il un véritable titre d'autorité ?
- Un gouvernement d'experts est-il plus souhaitable qu'une démocratie ?

Questions de nature éthique :

- Les désirs doivent-ils être contrôlés ?
- Puis-je véritablement contrôler mes désirs par ma raison ?
- La raison est-elle infaillible ?
- Est-il vrai que mon âme est le lieu d'un conflit permanent ?
- Puis-je être heureux en ne me laissant guider que par mes désirs ?

Feuillet d'un manuscrit de *La République* en parchemin datant du 9e siècle.

LA RÉPUBLIQUE OU *DE LA JUSTICE, DIALOGUE POLITIQUE.* (EXTRAITS CHOISIS)

PERSONNAGES DU DIALOGUE :
SOCRATE, GLAUCON, POLÉMARQUE, THRASYMAQUE, ADIMANTE, CÉPHALE

§ 1. LE MYTHE, LES POÈTES ET LES SOPHISTES – PLATON FACE AUX DÉFINITIONS DE LA JUSTICE DE L'ÉPOQUE

Cette section reproduit l'entièreté du premier livre de La République. *La scène se déroule au Pirée, le port d'Athènes, qui se trouve à environ 6 km de la ville. Socrate s'y est rendu afin d'observer un culte récemment introduit, dédié à Bendis, déesse d'origine Thrace. Alors qu'il rentre à Athènes, on l'invite plutôt à rester au Pirée. Dans la maison de Polémarque, fils du métèque Céphale, Socrate aura une longue conversation sur la justice. Cette section ouvre la discussion en présentant un dialogue entre Socrate, Céphale et Polémarque, puis entre Socrate et Thrasymaque, célèbre sophiste de l'époque. Céphale, représentant de la tradition, affirmera que la justice consiste à dire la vérité et rendre ce que l'on a reçu. Polémarque héritera de cette position et la défendra à l'aide de la poésie traditionnelle. Thrasymaque, de son côté, prétendra que la justice correspond à l'intérêt du plus fort, et que l'injustice est plus profitable que la justice. Socrate, fidèle à sa méthode, réfutera l'un et l'autre en montrant les limites de ces définitions. Cette aporie finale amènera Socrate à formuler sa propre définition plus tard dans le texte (voir extrait* **§ 2***).*

(327a) J'étais descendu hier au Pirée avec **Glaucon**[9], fils d'Ariston, pour faire ma prière à la déesse et aussi pour voir comment on célébrerait la fête, qui avait lieu pour la première fois. Or j'ai trouvé bien belle la procession des habitants, et non moins magnifique celle que menaient les Thraces. Après avoir fait notre prière et vu la cérémonie, **(327b)** nous revenions à la ville. Nous ayant vus de loin prendre le chemin du retour, **Polémarque**, fils de **Céphale**[10], dit à son esclave de courir après nous et de nous prier de l'attendre. Le jeune homme arrivant derrière moi me prit par le manteau : « Polémarque, dit-il, vous prie de l'attendre. » Je me retournai et lui demandai où était son maître. « Le voici, dit-il, qui vient derrière moi ; attendez-le. – Eh bien ! nous allons l'attendre », dit Glaucon.

(327c) Quelques instants après, Polémarque arrivait, avec **Adimante**[11], frère de Glaucon, **Nicératos**[12], fils de Nicias, et un certain nombre d'autres, qui revenaient de la procession.

Alors Polémarque dit : Vous m'avez l'air, Socrate, de prendre le chemin de la ville pour vous en retourner.

Ce n'est pas mal deviné, dis-je.

Eh bien ! tu vois, reprit-il, combien nous sommes.

Oui, sans doute.

Alors, ajouta-t-il, ou bien vous serez plus forts que nous tous, ou vous allez rester ici.

N'y a-t-il pas, demandai-je, une autre alternative, qui serait de vous convaincre qu'il faut nous laisser partir ?

Seriez-vous de force, reprit-il, à convaincre des gens qui ne veulent pas entendre ?

Nullement, dit Glaucon.

Alors mettez-vous dans la tête qu'on ne vous écoutera pas.

(328a) Adimante à son tour prenant la parole : Peut-être aussi, dit-il, ne savez-vous pas qu'il y aura ce soir une course aux flambeaux à cheval, en l'honneur de la déesse ?

À cheval ! m'écriai-je ; voilà qui est nouveau. C'est à cheval qu'ils tiendront et se passeront les flambeaux et se disputeront le prix ? Est-ce bien cela que tu veux dire ?

9. **Glaucon** Frère de Platon.
10. **Polémarque** et **Céphale** Sur ces personnages, *voir* « Le cadre dramatique et les personnages de *La République* », p. 19.
11. **Adimante** Frère de Platon.
12. **Nicératos** Notable athénien, mis à mort par les Trente en ~404.

C'est bien cela, répondit Polémarque. En outre il y aura une fête de nuit qui vaut la peine d'être vue. Nous sortirons après dîner, nous assisterons à la fête ; nous y rencontrerons une foule de jeunes gens et nous causerons. **(328b)** Restez donc, et ne vous faites pas prier.

Alors Glaucon : Je vois bien, dit-il, qu'il faut rester.

Eh bien, si c'est ton avis, dis-je, prenons-en notre parti.

CÉPHALE ET LA DÉFINITION TRADITIONNELLE DE LA JUSTICE

Nous nous rendîmes donc chez Polémarque ; et là, nous trouvâmes **Lysias** et **Euthydème**[13], ses frères, et avec eux **Thrasymaque de Chalcédoine**[14], **Charmantide de Paeanée**[15] et **Clitophon**[16], fils d'Aristonyme. **(328c)** À l'intérieur il y avait aussi le père de Polémarque, Céphale ; je le trouvai beaucoup vieilli ; car il y avait longtemps que je ne l'avais pas vu. Il était assis sur un siège garni d'un coussin et portait une couronne sur la tête, parce qu'il venait de faire un sacrifice dans la cour. Nous nous assîmes près de lui ; car il y avait-là un certain nombre de sièges rangés en cercle.

Aussitôt qu'il m'aperçut, Céphale me salua et me dit : Tu ne descends guère souvent nous voir au Pirée, Socrate ; c'est un tort de ta part. Si moi, j'avais encore assez de force pour faire d'un pied léger le trajet de la ville, tu n'aurais pas besoin de venir ici : **(328d)** c'est nous qui irions chez toi. Mais maintenant c'est à toi de venir ici plus souvent. Je te dirai en effet que, si pour moi les plaisirs des sens sont fanés, je sens croître d'autant le goût et le plaisir de la conversation. Fais-moi donc la grâce, sans renoncer à la compagnie de ces jeunes gens, de venir ici et de fréquenter chez nous, comme chez d'intimes amis.

Et moi, Céphale, répondis-je, j'aime à converser avec les gens d'un grand âge ; **(328e)** il me semble qu'il faut apprendre d'eux, puisqu'ils nous ont devancés sur une route que nous aurons peut-être aussi à parcourir, de quelle nature est cette route, si elle est rude et pénible, ou facile et commode. Aussi j'aurais plaisir à connaître ton sentiment sur

13. **Lysias** et **Euthydème** Fils de Céphale et frères de Polémarque. Sur cette famille, *voir* « Le cadre dramatique et les personnages de *La République* », p. 19.
14. **Thrasymaque de Chalcédoine** Célèbre sophiste, professeur de rhétorique à Athènes.
15. **Charmantide de Paeanée** Personnage peu connu qui fut l'élève du rhéteur Isocrate.
16. **Clitophon** Personnalité politique athénienne, proche de Thrasymaque.

ce que les poètes appellent « le seuil de la vieillesse », puisque tu es arrivé à ce moment de la vie, si c'est un passage difficile de l'existence, ou si tu as autre chose à en dire.

(329a) Oui, par Zeus, je veux bien, Socrate, te dire mon sentiment sur ce point. Souvent en effet nous nous réunissons ensemble entre vieillards à peu près du même âge, justifiant ainsi le vieux proverbe. Or la plupart d'entre nous se lamentent dans ces réunions : ils regrettent les plaisirs de la jeunesse, ils se rappellent les délices de l'amour, du vin, de la bonne chère et d'autres amusements du même genre, et ils se chagrinent, comme s'ils avaient perdu des biens considérables ; il faisait bon vivre alors ; à présent ce n'est même plus vivre. **(329b)** Quelques-uns se plaignent aussi des outrages auxquels leur grand âge les expose de la part de leurs proches, et là-dessus ils rebattent tous les maux dont la vieillesse est pour eux la cause. Mon avis à moi, Socrate, c'est que ces vieillards ne touchent pas la véritable cause ; car, si la vieillesse était la vraie cause, elle aurait eu le même effet sur moi et sur tous ceux qui sont arrivés à cet âge. Or j'ai rencontré au contraire des vieillards animés de sentiments bien différents, entre autres le poète **Sophocle**[17]. J'étais un jour près de lui, **(329c)** quand on lui demanda : « Où en es-tu, Sophocle, à l'égard de l'amour ? Es-tu encore capable d'entreprendre une femme ? – Tais-toi, l'ami, répondit Sophocle ; je suis enchanté d'être échappé de l'amour, comme si j'étais échappé des mains d'un maître enragé et sauvage. » Sa réponse me parut belle alors, et aujourd'hui encore elle ne me paraît pas moins belle. Il est certain en effet qu'à l'égard de ces troubles des sens la vieillesse assure la paix et la franchise complètes. Quand les passions ont perdu leur violence et se sont relâchées, **(329d)** c'est à la lettre que le mot de Sophocle se réalise : on est délivré d'une foule de tyrans forcenés. Quant à ces regrets des vieillards et à leurs chagrins domestiques, il n'y a qu'une sorte de cause, et ce n'est pas la vieillesse, Socrate, mais le caractère des hommes. S'ils sont sages et d'humeur facile, la vieillesse alors est peu pénible ; sinon, Socrate, ce n'est pas seulement la vieillesse, c'est encore la jeunesse qui est fâcheuse, avec un caractère difficile.

Et moi, émerveillé de sa réponse, et désireux de l'entendre encore, je le poussai à continuer en lui disant : **(329e)** Je m'imagine, Céphale,

17. **Sophocle** Dramaturge célèbre de l'Antiquité, auteur notamment d'*Œdipe Roi*.

que, quand tu parles de la sorte, la majorité de tes auditeurs ne t'approuvent pas; ils croient plutôt que, si tu supportes facilement la vieillesse, ce n'est point grâce à ton caractère, mais à ta grosse fortune; car les riches ont, dit-on, bien des consolations, – Tu dis vrai, répondit-il, ils ne m'approuvent pas, et ils ont un peu raison, mais pas autant qu'ils le croient. La vérité se trouve dans la réponse de **Thémistocle**[18] à l'homme de **Sériphos**[19]. **(330a)** Celui-ci l'injuriait en lui disant que ce n'était pas à son mérite, mais à sa patrie qu'il devait sa réputation. « Il est vrai, répliqua-t-il, que, si j'étais de Sériphos, je ne serais pas célèbre; mais toi non plus, si tu étais d'Athènes. » Le mot s'applique bien aux gens peu fortunés qui trouvent la vieillesse pénible: l'homme raisonnable ne saurait supporter la vieillesse avec une aisance parfaite s'il est dans la pauvreté; mais l'homme déraisonnable aura beau être riche: la richesse n'adoucira pas son humeur.

Dis-moi, Céphale, repris-je; le gros de ta fortune te vient-il d'un héritage de famille, ou tu l'as beaucoup augmentée toi-même?

(330b) Si je l'ai augmentée, Socrate? répliqua-t-il; dans cette question de fortune, j'ai tenu le milieu entre mon grand-père et mon père. Mon grand-père, dont je porte le nom, hérita d'une fortune à peu près égale à celle que je possède actuellement, et il l'accrut de plusieurs fois autant; mais Lysanias, mon père, la ramena au-dessous de ce qu'elle est à présent. Pour moi, il me suffit de laisser à mes enfants que voici une fortune, non pas moindre, mais un peu supérieure à celle que j'ai reçue en héritage.

Si je t'ai fait cette question, dis-je, c'est que tu m'as semblé médiocrement attaché à la richesse: **(330c)** c'est généralement le cas de ceux qui ne l'ont pas acquise par eux-mêmes; ceux qui la doivent à leur industrie y sont deux fois plus attachés que les autres. De même que les poètes aiment leurs vers et les pères leurs enfants, ainsi les hommes d'affaires s'attachent à leur fortune, parce qu'elle est leur ouvrage; ils s'y attachent encore, comme les autres hommes, pour l'utilité qu'ils en retirent. Aussi leur compagnie est-elle désagréable, parce qu'ils ne veulent parler que de leur richesse.

C'est vrai, dit-il.

18. **Thémistocle** Célèbre stratège athénien.
19. **Sériphos** Île grecque de la mer Égée.

(330d) N'en doute pas, repris-je ; mais j'ai encore une question à te faire : quel est le plus grand avantage que tu crois avoir retiré de la possession d'une grosse fortune ?

C'est, dit-il, un avantage qu'il me serait sans doute impossible de faire apprécier à beaucoup de gens. Voici en quoi il consiste, Socrate, ajouta-t-il : quand un homme croit sentir les approches de la mort, il lui vient des craintes et des inquiétudes sur des choses qui auparavant le laissaient indifférent, et les récits qu'on fait de l'**Hadès**[20] et du châtiment dont il faut payer là-bas les injustices commises ici, **(330e)** ces récits dont il se moquait auparavant, portent maintenant le trouble dans son âme ; il craint qu'ils ne soient véritables ; et lui-même, soit parce qu'il est affaibli par la vieillesse, soit aussi parce qu'il est à présent plus près de l'autre monde, il les considère avec plus d'attention ; en tout cas, son âme se remplit de défiance et de frayeur ; dès lors il repasse et il examine les injustices qu'il a pu commettre. S'il trouve dans sa conduite beaucoup d'iniquités, il se réveille souvent de son sommeil, comme les enfants, il a peur et vit dans une affreuse attente ; **(331a)** si au contraire il n'a aucune faute à se reprocher, il a toujours auprès de lui une douce espérance, bienfaisante nourrice de sa vieillesse, comme parle **Pindare**[21] ; car ce poète a dit bien joliment, Socrate, que lorsqu'un homme a mené une vie juste et sainte,

« La douce espérance l'accompagne, lui réchauffe le cœur et nourrit sa vieillesse, l'espérance qui gouverne souverainement l'esprit flottant des mortels. »

Ce sont là des paroles admirables. C'est en pensant à cela que je tiens la possession des richesses infiniment précieuse, **(331b)** non pas pour le premier venu, mais pour l'homme sensé : ne pas tromper ni mentir, même involontairement, ne rien devoir, ni sacrifice à un dieu, ni argent à un homme, et en conséquence s'en aller sans crainte dans l'autre monde, voilà un avantage auquel la possession des richesses contribue grandement. Elle en a bien d'autres encore ; mais tout bien pesé, je soutiens, Socrate, que c'est bien là, aux yeux de l'homme sensé, le principal bienfait de la richesse.

(331c) Tu parles d'or, Céphale, répliquai-je. Mais cette vertu même, la justice, la définirons-nous simplement comme toi, le fait de dire la

20. **Hadès** Divinité grecque qui règne sous terre.
21. **Pindare** Célèbre poète grec.

vérité et de rendre à chacun ce qu'on en a reçu, et ces deux choses mêmes ne sont-elles pas au contraire tantôt justes, tantôt injustes? Par exemple, supposons qu'un homme ait reçu d'un ami en son bon sens des armes, et que cet ami devenu fou les redemande: tout le monde conviendra qu'il ne faut pas rendre un tel dépôt, que celui qui le rendrait ne ferait pas acte de justice, non plus que celui qui voudrait dire toute la vérité à un homme en cet état.

(331d) Tu as raison, dit-il.

Ce n'est donc pas définir la justice que de la faire consister à dire la vérité et à rendre ce qu'on a reçu.

C'est la bien définir, au contraire, dit Polémarque prenant la parole, s'il en faut croire **Simonide**[22].

Pour moi, dit Céphale, je vous abandonne l'entretien: il faut que je m'occupe à présent de mon sacrifice.

Alors, dis-je, Polémarque est ton héritier?

Sans doute, répliqua-t-il en riant; et ce disant il s'en allait à son sacrifice.

INTERVENTION DE POLÉMARQUE: LA JUSTICE DANS LA POÉSIE TRADITIONNELLE

(331e) Dis-nous donc, repris-je, toi l'héritier de la discussion, ce que dit Simonide de la justice et en quoi tu l'approuves.

Il dit qu'il est juste de rendre à chacun ce qu'on lui doit, et en cela je trouve qu'il a raison.

Assurément, repris-je, il n'est pas facile de refuser créance à Simonide: c'est un sage et un homme divin. Mais que veut-il dire? Tu le sais peut-être, toi, Polémarque; mais moi je l'ignore. Il est évident qu'il n'entend pas, comme nous le disions tout à l'heure, que, si un homme a mis un objet en dépôt chez quelqu'un, et qu'il le réclame sans avoir sa raison, il faut le lui rendre; et pourtant un dépôt **(332a)** est chose due, n'est-ce pas?

Oui.

Mais il faut bien se garder de rendre un dépôt, quand il est réclamé par un insensé?

C'est vrai, dit-il.

22. **Simonide** Célèbre poète grec.

Alors Simonide, semble-t-il, veut dire autre chose, quand il dit qu'il est juste de rendre ce qu'on doit ?

Il veut dire autre chose, c'est indubitable. Sa pensée c'est qu'à des amis l'on doit faire du bien, sans jamais leur faire de mal.

(332b) Je comprends, dis-je ; ce n'est point rendre à quelqu'un ce qu'on lui doit que de lui remettre l'or qu'il nous a confié, s'il ne peut le recevoir et le reprendre qu'à son préjudice, et si celui qui reprend et celui qui restitue sont amis. N'est-ce pas là, selon toi, la pensée de Simonide ?

C'est tout à fait sa pensée.

Mais à des ennemis, faut-il rendre ce qu'on peut leur devoir ?

Oui bien, dit-il, ce qu'on leur doit ; or ce qu'on doit à un ennemi, c'est, à mon avis, ce qui convient, c'est-à-dire du mal.

(332c) Il paraît donc, dis-je, que Simonide a défini la justice à la façon énigmatique des poètes. Son idée était, selon toute apparence, que la justice consiste à rendre à chacun ce qui convient ou, selon son expression, ce qu'on doit.

Eh bien, qu'y trouves-tu à reprendre ? demanda-t-il.

Si quelqu'un, repris-je, lui avait dit : « Au nom de Zeus, réponds-moi, Simonide. L'art qu'on appelle médecine, à qui donne-t-il ce qui est dû et convient, et que donne-t-il par là ? » que crois-tu qu'il nous aurait répondu ?

Évidemment, dit-il, qu'il donne aux corps les remèdes, les aliments et les boissons.

Et l'art du cuisinier à qui donne-t-il ce qui est dû et convient, et que donne-t-il par là ?

(332d) Il donne aux mets des assaisonnements.

Bien ! Et maintenant l'art appelé justice, à qui et que donne-t-il ?

Il répondit : S'il faut, Socrate, être conséquent avec ce que nous venons de dire, il rend des services aux amis et cause des dommages aux ennemis.

Donc faire du bien à ses amis et du mal à ses ennemis, voilà ce que Simonide appelle justice ?

Il me le semble.

Et maintenant qui est le plus capable de faire du bien à des amis malades ou du mal à des ennemis sous le rapport de la maladie ou de la santé ?

Le médecin.

(332e) Et aux navigateurs, à l'égard des dangers de la mer?

Le pilote.

Et le juste, en quelle occasion et pour quelle œuvre est-il le plus capable d'aider ses amis et de nuire à ses ennemis?

À la guerre, pour attaquer les uns et défendre les autres, ce me semble.

Fort bien; mais, mon cher Polémarque, on n'a que faire du médecin, quand on n'est pas malade.

C'est vrai.

Ni du pilote, quand on n'est pas sur mer.

Sans doute.

À ce compte on n'a que faire non plus de l'homme juste, lorsqu'on n'est pas en guerre?

Ceci ne me semble pas du tout exact.

(333a) La justice est donc utile aussi en temps de paix?

Elle est utile.

Et l'agriculture aussi, n'est-ce pas?

Oui.

Pour recueillir les fruits de la terre?

Oui.

Le métier de cordonnier est utile aussi?

Oui.

Tu pourrais ajouter, n'est-ce pas, qu'il l'est pour nous procurer des chaussures?

Sans doute.

Et la justice, pour quel usage et quelle acquisition peux-tu dire qu'elle est utile en temps de paix?

Pour les conventions, Socrate.

Entends-tu par là des associations ou quelque autre chose?

Oui, des associations.

(333b) Ceci posé, quel est le bon et utile associé pour placer les pièces au trictrac, l'homme juste ou le joueur de profession?

Le joueur de profession.

Et pour poser des briques et des pierres, le juste est-il un associé plus utile et meilleur que le maçon?

Non pas.

Mais si le cithariste est meilleur que le juste pour frapper les cordes, pour quelle affaire commune le juste est-il un meilleur associé que le cithariste ?

Pour les affaires d'argent, ce me semble.

Sauf le cas peut-être, Polémarque, où il faut faire usage de l'argent, par exemple s'il faut acheter ou vendre un cheval en commun ; **(333c)** alors, selon moi, c'est l'homme de cheval, n'est-ce pas ?

Il me le semble.

Et s'il s'agit d'un bateau, c'est le constructeur ou le pilote.

Il semble.

En quel cas donc le juste sera-t-il plus utile que les autres dans l'emploi que l'association fera de son or ou de son argent ?

Dans le cas d'un dépôt qu'on veut retrouver intact, Socrate.

C'est-à-dire quand on ne veut faire aucun usage de son argent et qu'on le laisse oisif ?

Oui, vraiment.

(333d) C'est donc quand l'argent est inutilisé et pour cette raison même que la justice est utile ?

Apparemment.

Quand donc il faut conserver une **serpette**[23], la justice est utile à l'association et à l'individu ; mais quand il faut s'en servir, c'est l'art du vigneron.

Il le semble.

De même, s'il s'agit de garder un bouclier ou une lyre sans en faire usage, tu diras que la justice est utile ; mais que, s'il faut s'en servir, c'est l'art de l'hoplite ou du musicien.

Il le faut bien.

Et en général, à l'égard de n'importe quelle autre chose, la justice est inutile, quand on se sert de cette chose, et utile, quand on ne s'en sert pas ?

Il y a apparence.

(333e) Mais alors, mon ami, la justice n'est pas bonne à grand-chose, si elle n'est utile que pour les choses dont on ne fait pas usage. Mais examinons encore ceci. Est-ce que l'homme le plus adroit à porter des coups, soit au pugilat, soit dans toute autre espèce de lutte, est-ce que cet homme n'est pas aussi le plus adroit à se garder des coups qu'on lui porte ?

23. **Serpette** Petite serpe, outil tranchant à la lame courbée.

Assurément si.

De même est-ce que l'homme habile à se garder d'une maladie, n'est pas aussi le plus habile à la donner en secret ?

Je le crois pour ma part.

(334a) Mais alors si quelqu'un s'entend à dérober les desseins et toutes les entreprises de l'ennemi, le même homme saura aussi garder une armée ?

Oui certes.

Par conséquent, lorsqu'un homme est habile à garder une chose, il est habile aussi à la dérober.

Il le semble.

Si donc le juste est habile à garder de l'argent, il est habile aussi à le dérober.

C'est du moins, dit-il, une conséquence de ton raisonnement.

Ainsi le juste vient de nous apparaître comme une sorte de voleur, et il se pourrait que tu aies appris cela d'Homère. Homère en effet fait grand cas de l'aïeul maternel d'**Ulysse**[24], **(334b)** Autolycos, et déclare qu'il surpassait tous les hommes dans l'art de dérober et de se parjurer. Par conséquent, selon toi, selon Homère, et selon Simonide, la justice paraît être une sorte d'art de voler, mais dans l'intérêt de ses amis et au préjudice de ses ennemis. N'est-ce pas ce que tu voulais dire ?

Non par Zeus, s'écria-t-il ; mais je ne sais plus, moi, ce que je disais. Cependant je crois toujours que la justice consiste à servir ses amis et à nuire à ses ennemis.

(334c) Mais qu'entends-tu par amis ? Ceux qui paraissent honnêtes à qui les aime, ou ceux qui le sont réellement, même s'ils ne le paraissent pas ? Et je fais la même question pour les ennemis.

Il me paraît naturel, dit-il, d'aimer ceux qu'on estime honnêtes, et de haïr ceux qu'on juge méchants.

Mais n'arrive-t-il pas aux hommes de s'y méprendre et d'estimer honnêtes beaucoup de gens qui ne le sont pas, et inversement ?

Cela leur arrive.

En conséquence, pour ces dupes, les gens de bien sont leurs ennemis, et les méchants, leurs amis ?

C'est vrai.

(334d) Néanmoins, à leur égard, la justice consiste en ce cas à servir les méchants et à nuire aux gens de bien ?

24. **Ulysse** Héros homérique.

Il semble.

Pourtant les gens de bien sont justes et incapables d'injustice.

C'est vrai.

Il est donc juste, d'après ce que tu dis, de faire du mal à ceux qui ne font aucune injustice ?

À Dieu ne plaise ! Socrate, répondit-il ; le soutenir me paraît immoral.

Alors c'est aux méchants, repris-je, qu'il est juste de nuire et aux bons qu'il est juste de faire du bien ?

Ceci semble plus honnête que ce que tu disais tout à l'heure.

(334e) Il arrivera donc, Polémarque, que pour beaucoup de gens, abusés dans leur jugement sur les hommes, il sera juste de nuire à leurs amis, puisqu'ils ont pour amis des méchants, et de servir leurs ennemis, qui sont en effet d'honnêtes gens, conclusion directement opposée à ce que nous faisions dire à Simonide.

Il n'est que trop vrai, dit-il ; mais corrigeons notre définition de l'ami et de l'ennemi ; il y a chance qu'elle soit inexacte.

Comment les avons-nous définis, Polémarque ?

Celui qui paraît homme de bien ; celui-là est l'ami.

Eh bien ! à présent, dis-je, comment corriger notre définition ?

L'ami, dit-il, est celui qui paraît et qui est réellement homme de bien, **(335a)** tandis que celui qui le paraît, sans l'être, n'est ami qu'en apparence ; et il faut donner de l'ennemi la même définition.

Dès lors, l'homme de bien sera, semble-t-il, l'ami, et le méchant l'ennemi

Oui.

Tu veux donc que nous ajoutions à l'idée du juste quelque chose de plus que ce que nous disions tout à l'heure, quand nous affirmions qu'il est juste de faire du bien à un ami, du mal à un ennemi. Il nous faut ajouter à présent qu'il est juste de faire du bien à un ami qui est bon, et du mal à un ennemi qui est méchant.

(335b) Oui, dit-il, je trouve que cela serait bien dit.

Est-ce donc, repris-je, le fait d'un homme juste de faire du mal à un homme, quel qu'il soit ?

Il est certain, répondit-il, qu'il faut faire du mal aux méchants qui sont en même temps nos ennemis.

Mais, si l'on fait du mal aux chevaux, deviennent-ils meilleurs ou pires ?

Pires.

Relativement à la vertu des chiens ou à celle des chevaux ?

À celle des chevaux.

Et les chiens, si on leur fait du mal, ne deviennent-ils pas pires relativement à la vertu des chiens, et non à celle des chevaux ?

Nécessairement.

(335c) Et pour les hommes, camarade, ne faut-il pas dire que, si on leur fait du mal, ils deviennent pires relativement à la vertu des hommes ?

Si, assurément.

Mais la justice n'est-ce pas la vertu des hommes ?

Il faut l'admettre aussi.

Par conséquent, cher ami, ceux d'entre les hommes à qui l'on fait du mal deviennent fatalement plus injustes.

Il paraît.

Mais un musicien peut-il en vertu de son art rendre ignorant dans la musique ?

Impossible.

Et un écuyer peut-il en vertu de son art rendre maladroit à monter à cheval ?

Ce n'est pas possible.

Et l'homme juste peut-il par la justice rendre un autre homme injuste, **(335d)** et en général les gens de bien peuvent-ils par la vertu rendre les autres méchants ?

Non, cela ne se peut.

Ce n'est pas en effet, je pense, le fait de la chaleur de refroidir, mais de son contraire.

Oui.

Ni de la sécheresse de mouiller, mais de son contraire.

Assurément.

Ni de l'homme de bien de faire du mal, mais de son contraire.

Il y a apparence.

Mais l'homme juste est-il homme de bien ?

Sans nul doute.

Ce n'est donc pas le fait de l'homme juste, Polémarque, de faire du mal à son ami, ni à qui que ce soit, mais de son contraire, l'homme injuste.

(335e) Il me semble, Socrate, que tu as tout à fait raison.

Si donc quelqu'un prétend que la justice consiste à rendre à chacun ce qu'on lui doit, et s'il entend par là que le juste doit du mal à ses ennemis, comme il doit du bien à ses amis, ce langage n'est pas celui d'un sage ; car il n'est pas conforme à la vérité ; en effet il nous a paru évident qu'en aucun cas il n'est juste de faire du mal à quelqu'un.

Je suis de ton avis, dit-il.

En conséquence, repris-je, nous nous inscrirons en faux tous les deux contre quiconque avancera qu'une telle maxime est de Simonide, ou de **Bias**, ou de **Pittacus**[25] ou de quelque autre sage vénéré.

Je suis prêt, répondit-il, à soutenir la lutte avec toi.

(336a) Mais sais-tu, demandai-je, de qui me paraît être cette maxime, qu'il est juste de faire du bien à ses amis et du mal à ses ennemis ?

De qui ? dit-il.

Je pense qu'elle est de **Périandre**[26], ou de **Perdiccas**[27], ou de **Xerxès**[28], ou d'**Isménias**[29] de Thèbes, ou de quelque autre personnage riche enivré de sa puissance.

C'est très vrai, répondit-il.

Voilà qui est acquis ; mais puisque nous avons trouvé que la justice ni le juste n'étaient point cela non plus, qu'est-ce que peut bien être la justice ?

INTERVENTION DE THRASYMAQUE

(336b) À plusieurs reprises et dans le cours même de notre entretien, Thrasymaque avait tenté de jeter le grappin sur la discussion ; mais ses voisins l'avaient retenu, voulant nous entendre jusqu'à la fin. Mais, à la première pause que nous fîmes et au moment où je venais de dire

25. **Bias** et **Pittacus** Célèbres sages de l'Antiquité, associés au groupe des Sept Sages.
26. **Périandre** Tyran de Corinthe, devint cruel vers la fin de sa vie. Platon (*Protagoras,* 343b) ne le compte point parmi les Sept Sages : il mentionne à sa place Myson.
27. **Perdiccas II** Roi de Macédoine, père du tyran Archélaos, est mentionné dans le *Gorgias* 470d.
28. **Xerxès** Roi des Perses autour du ~5e siècle.
29. **Isménias** de Thèbes est mentionné aussi dans le *Ménon* (90a). Xénophon (*Hist. Gr. III, 5*) raconte qu'il se laissa corrompre par l'or du Grand Roi pour soulever la guerre contre les Lacédémoniens, au temps où Agésilas faisait la guerre en Asie (en ~395). Quand les Lacédémoniens prirent la Cadmée (en ~382), ils se vengèrent d'Isménias, en le mettant à mort.

ces derniers mots, il ne se contint plus, et se ramassant sur lui-même à la manière d'une bête fauve, il s'avança sur nous comme pour nous mettre en pièces.

Polémarque et moi, nous nous sentîmes saisis d'une terreur panique. Mais lui, s'adressant à toute la compagnie, s'écria : **(336c)** À quel verbiage vous amusez-vous depuis si longtemps, Socrate ? Pourquoi faites-vous les niais, et vous inclinez-vous alternativement l'un devant l'autre ? Veux-tu sincèrement savoir ce qu'est la justice ? Ne te borne pas à interroger et ne mets pas ta vanité à réfuter ce qu'on peut te répondre ; reconnais qu'il est plus facile d'interroger que de répondre, et à ton tour réponds et dis comment tu définis la justice. **(336d)** Mais garde-toi de dire que c'est le devoir, ou l'utilité, ou l'avantage, ou le profit ou l'intérêt ; mais énonce clairement et exactement ce que tu as à dire ; car je ne suis pas homme à me payer de pareilles balivernes.

Ces paroles me frappèrent de stupeur ; je le regardai en tremblant, et je crois que, si je ne l'avais pas regardé le premier, j'aurais perdu la parole. Heureusement, au moment où il commençait à s'impatienter de notre discussion, **(336e)** j'avais jeté le premier les yeux sur lui ; aussi trouvai-je la force de lui répondre, et je lui dis avec un léger tremblement : Ne te fâche pas contre nous, Thrasymaque ; si nous faisons fausse route dans l'examen de la question, lui et moi, sois persuadé que c'est contre notre intention. Tu sais bien que, si nous cherchions de l'or, nous ne serions pas disposés à nous incliner l'un devant l'autre et à compromettre nos chances d'en trouver ; et maintenant que nous cherchons la justice, bien plus précieux que des monceaux d'or, peux-tu nous croire assez insensés pour nous céder l'un à l'autre, au lieu de nous appliquer de tout notre sérieux à la découvrir ? Sois persuadé, cher ami, que nous y mettons tous nos soins ; mais le fait est, je le vois, que la tâche est au-dessus de nos forces. **(337a)** C'est donc de la pitié que vous autres, les habiles, devez avoir pour nous, bien plutôt que de la colère.

À ces mots, il fit un éclat de rire amer, et s'écria : Ô Hercule, voilà bien l'ironie ordinaire de Socrate ! Je le savais, moi, et j'avais prédit à la compagnie que tu refuserais de répondre, que tu singerais l'ignorant, et que tu ferais tout plutôt que de répondre, si on te posait quelque question.

C'est que tu es un habile homme, Thrasymaque, repartis-je : **(337b)** tu savais bien que, si tu demandais à quelqu'un ce qu'est le nombre douze, en prenant la précaution d'ajouter: « Prends garde, l'ami, à ne pas dire que c'est deux fois six, ni trois fois quatre, ni six fois deux, ni quatre fois trois, parce que je ne me contenterais pas de telles niaiseries », tu savais fort bien, n'est-ce pas, que personne ne répondrait à une question ainsi posée. Mais s'il te disait: « Que prétends-tu, Thrasymaque? Que je ne fasse aucune des réponses que tu viens de dire, même si, ô merveilleux homme, la vraie réponse se trouve être une de celles-là, et que je dise autre chose que la vérité? Est-ce là ou non ce que tu prétends? » **(337c)** que répondrais-tu à cela?

Vraiment, s'écria-t-il, voilà qui a bien du rapport avec ce que j'ai dit!

Pourquoi non? dis-je; mais en admettant même que les deux cas diffèrent, si celui qu'on interroge les juge pareils, penses-tu qu'il se gênera de répondre ce qui lui paraît juste à lui, que nous le lui défendions ou non?

Vas-tu donc agir ainsi, toi aussi? répondit-il; vas-tu faire une des réponses que je t'ai interdites?

Je ne serais pas surpris, dis-je, si après réflexion, je prenais ce parti.

(337d) Mais quoi! reprit-il, si je vous montre qu'outre toutes ces réponses il y en a une autre à faire sur la justice, et meilleure que celles-là, à quoi te condamnes-tu?

À quoi? dis-je, sinon à la peine qui convient à un ignorant, c'est-à-dire d'apprendre de celui qui sait: c'est celle à laquelle moi aussi je me condamne.

Tu es bien bon, dit-il; mais outre la peine d'apprendre, tu paieras aussi de l'argent.

Soit! quand j'en aurai, dis-je.

Mais tu en as, dit Glaucon; s'il ne tient qu'à l'argent, parle, Thrasymaque; nous nous cotiserons tous pour Socrate.

(337e) C'est cela! n'est-ce pas? s'écria-t-il, pour que Socrate en fasse à son ordinaire, qu'il ne réponde pas, lui, mais que, dès qu'un autre donnera une réponse, il s'en empare, et se mette à réfuter.

Comment répondre, excellent homme, dis-je, quand d'abord on ne sait pas et qu'on déclare ne pas savoir, quand ensuite, eût-on un avis sur le sujet, on s'est entendu intimer la défense de faire aucune des réponses qu'on juge pertinentes par une personne dont l'autorité n'est pas petite? C'est plutôt à toi de parler, puisque tu te vantes de savoir et d'avoir quelque chose à dire. **(338a)** Ne refuse donc pas: fais-moi le plaisir de répondre et n'envie pas à Glaucon et aux autres le plaisir de s'instruire à tes leçons.

Quand j'eus dis ces mots, Glaucon et les autres le prièrent de ne pas se dérober. Pour Thrasymaque, on voyait bien qu'il avait envie de parler, afin de se faire applaudir; car il pensait faire une réponse admirable; mais il affectait d'insister pour que je fusse le répondant. À la fin, il céda, puis:

Voilà, s'écria-t-il, le talent de Socrate: **(338b)** il ne veut, lui, rien enseigner; mais il va partout s'instruire auprès des autres, sans même leur en savoir gré.

Quand tu dis que je m'instruis près des autres, répondis-je, tu dis vrai, Thrasymaque; mais quand tu affirmes que je ne paye pas de retour, tu es dans l'erreur: je paye autant que je peux; mais je ne peux payer qu'en louanges, car je n'ai pas d'argent; mais combien je suis empressé de louer ce qui me paraît bien dit, tu vas l'apprendre tout de suite, **(338c)** quand tu auras répondu; car je pense que tu vas bien parler.

Écoute donc, dit-il. Je soutiens, moi, que la justice n'est autre chose que l'intérêt du plus fort. Eh bien! qu'attends-tu pour applaudir? Tu ne t'y résoudras pas.

J'attends d'avoir compris, dis-je, ce que tu veux dire; pour le moment je ne comprends pas encore. La justice est, dis-tu, l'intérêt du plus fort: qu'entends-tu par là, Thrasymaque? Tu ne veux pas dire, je suppose, que si **Poulydamas**[30], le lutteur au pancrace, est plus fort que nous et qu'il lui soit avantageux, pour soutenir ses forces, de manger de la viande de bœuf, **(338d)** le même régime soit aussi pour nous, qui lui sommes inférieurs, à la fois avantageux et juste?

Tu me dégoûtes, Socrate; tu prends les choses de manière à dénaturer totalement ma définition.

Pas du tout, excellent ami, répondis-je; mais explique-toi plus clairement.

Eh bien! ne sais-tu pas, dit-il, que les différents États sont ou monarchiques, ou démocratiques, ou aristocratiques?

Sans doute.

Or dans tout État la force appartient au gouvernement constitué.

30. **Poulydamas** Illustre athlète de l'Antiquité, vainqueur au pancrace (un type de lutte où presque tous les coups sont permis) lors des Jeux Olympiques de ~408.

C'est certain.

(338e) Eh bien! tout gouvernement établit toujours les lois dans son propre intérêt, la démocratie, des lois démocratiques; la monarchie, des lois monarchiques, et les autres régimes de même; puis, ces lois faites, ils proclament juste pour les gouvernés ce qui est leur propre intérêt, et, si quelqu'un les transgresse, ils le punissent comme violateur de la loi et de la justice. Voilà, mon excellent ami, ce que je prétends qu'est la justice uniformément dans tous les États: **(339a)** c'est l'intérêt du gouvernement constitué. Or c'est ce pouvoir qui a la force; d'où il suit pour tout homme qui sait raisonner que partout c'est la même chose qui est juste, je veux dire l'intérêt du plus fort.

À présent, dis-je, j'ai compris ce que tu veux dire; mais est-ce vrai ou non? C'est ce que je vais tâcher d'examiner. C'est donc l'intérêt, Thrasymaque, qui est la justice: voilà ce que toi aussi tu as répondu, après m'avoir interdit cette réponse; **(339b)** il est vrai que tu as ajouté: du plus fort.

Addition négligeable apparemment! ricana-t-il.

Si elle est importante, c'est un point qui n'est pas encore éclairci; ce qui est évident, c'est qu'il faut examiner si tu as raison. Je conviens avec toi que la justice est quelque chose d'utile; mais toi, tu ajoutes à cette définition et tu prétends que c'est au plus fort. Voilà ce que j'ignore et qu'il faut examiner.

Examine, dit-il.

C'est ce que je vais faire, répondis-je. Dis-moi, tu soutiens bien, n'est-ce pas, que l'obéissance aux gouvernants fait partie aussi de la justice?

Je le soutiens.

(339c) Or les chefs sont-ils infaillibles dans leurs États respectifs, ou peuvent-ils se tromper?

Bien certainement, dit-il, ils peuvent se tromper.

Ainsi donc, quand ils se mettent à faire des lois, ils en font qui sont bonnes, mais ils en font aussi qui sont mauvaises?

Je le crois.

Mais faire de bonnes lois, c'est naturellement instituer ce qui leur est utile à eux-mêmes; en faire de mauvaises, ce qui leur est nuisible; n'est-ce pas ton avis?

Si.

Mais ce qu'ils ont institué, les sujets sont obligés de le faire, et c'est en cela que consiste la justice ?

Sans doute.

(339d) Il est donc juste, selon toi, de faire non seulement ce qui est utile au plus fort, mais encore le contraire, ce qui lui est nuisible ?

Que dis-tu là ? s'écria-t-il.

Ce que tu dis toi-même, ce me semble ; mais regardons-y de plus près. Ne sommes-nous pas tombés d'accord que les gouvernants, en commandant certaines choses à leurs sujets, se trompent quelquefois sur leur intérêt véritable, et qu'il est juste que les sujets fassent ce que les gouvernants prescrivent ? N'en sommes-nous pas convenus ?

Je le crois, dit-il.

(339e) Souviens-toi encore, continuai-je, que tu as reconnu qu'il est juste aussi de faire des choses nuisibles aux gouvernants et aux plus forts, quand les gouvernants donnent, sans le vouloir, des ordres contraires à leur intérêt ; car il est juste, selon toi, que les sujets exécutent les ordres des gouvernants. Dès lors, très sage Thrasymaque, n'en faut-il pas tirer cette conclusion, qu'il est juste de faire le contraire de ce que tu dis ? Car c'est bien, n'est-ce pas, ce qui est nuisible au plus fort qui est commandé aux plus faibles ?

(340a) Par Zeus, Socrate, s'écria Polémarque, c'est clair comme le jour.

Oui, si tu lui apportes ton témoignage, intervint Clitophon.

Et en quoi Socrate a-t-il besoin de témoignage ? continua Polémarque. Thrasymaque lui-même convient que les gouvernants prescrivent parfois des choses qui leur sont préjudiciables et qu'il est juste que les sujets les exécutent.

En réalité, Polémarque, Thrasymaque a établi qu'il est juste de faire ce que les gouvernants commandent.

En réalité, Clitophon, il a établi aussi que la justice est ce qui est avantageux au plus fort, et après avoir posé ces deux principes, **(340b)** il a reconnu d'autre part que les plus forts donnent parfois à leurs inférieurs et sujets des ordres qui sont préjudiciables à eux-mêmes. De ces aveux il résulte que la justice n'est pas plus ce qui est utile que ce qui est nuisible au plus fort.

Mais, reprit Clitophon, par l'intérêt du plus fort Thrasymaque a voulu dire ce que le plus fort juge être son intérêt : c'est là ce que le plus faible doit faire et c'est en cela que Thrasymaque a fait consister la justice.

Ce n'est pas ainsi qu'il s'est exprimé, dit Polémarque.

(340c) Il n'importe, Polémarque, dis-je ; si c'est à présent ce que Thrasymaque veut dire, admettons-le ainsi.

Mais dis-moi, Thrasymaque, est-ce ainsi que tu entendais définir la justice ? Est-elle ce que le plus fort estime, à tort ou à raison, être son intérêt ? Dirons-nous que telle était ta pensée ?

Pas du tout, répondit-il. Penses-tu que j'appelle le plus fort celui qui se trompe, au moment où il se trompe ?

Pour moi, répondis-je, je croyais que c'était ta pensée, quand tu avouais que les gouvernants ne sont pas infaillibles, **(340d)** et qu'il leur arrive de se tromper.

Tu es de mauvaise foi, Socrate, dans la discussion ; je vais le prouver par un exemple. Appelles-tu médecin celui qui se trompe à l'égard des malades, en cela même qu'il se trompe, ou calculateur celui qui se trompe dans un calcul, au moment même où il se trompe, dans le fait même de son erreur ? À mon avis, ce n'est qu'une façon de parler de dire que le médecin s'est trompé, que le calculateur, le grammairien s'est trompé ; en réalité, selon moi, aucun d'eux, en tant qu'il mérite le nom que nous lui donnons, ne se trompe jamais ; **(340e)** et à parler rigoureusement, puisque tu te piques de rigueur dans ton langage, aucun artiste ne se trompe ; car il ne se trompe qu'autant que son art l'abandonne, et en cela il n'est plus artiste. En conséquence, qu'on soit artiste, savant ou chef d'État, on ne se trompe point en cette qualité, quoique tout le monde dise : le médecin s'est trompé, le chef d'État s'est trompé : c'est dans ce sens que tu dois prendre la réponse que je t'ai faite tout à l'heure. **(341a)** Je dis donc, pour préciser autant qu'il est possible, que le chef d'État, en tant que chef d'État, ne se trompe pas, que, s'il ne se trompe pas, il érige en loi ce qu'il y a de meilleur pour lui, et que c'est là ce que doit faire celui qui lui est soumis. Ainsi donc, comme je le disais en commençant, la justice consiste à faire ce qui est utile au plus fort.

Voyons, Thrasymaque, dis-je, tu crois que je suis de mauvaise foi ?

Très certainement, répondit-il.

Tu crois réellement que c'est pour te nuire insidieusement dans la discussion que je t'ai interrogé comme je l'ai fait ?

J'en suis sûr, dit-il ; mais tu n'y gagneras rien ; **(341b)** je vois clair dans ton jeu déloyal, et, démasqué, tu ne me battras pas de vive force dans la dispute.

Je n'essaierai pas non plus, vénérable Thrasymaque, dis-je ; mais pour éviter le retour d'un tel malentendu, définis nettement s'il faut entendre au sens large, ou au sens strict que tu viens de dire, celui qui gouverne et qui est le plus fort, et dont il sera juste, puisqu'il est le plus fort, que le plus faible serve l'intérêt.

J'entends celui qui gouverne, répondit-il, au sens le plus rigoureux ; dénigre et chicane-moi là-dessus, si tu le peux ; **(341c)** je te donne libre carrière ; mais tu n'es pas de taille.

Peux-tu croire, dis-je, que je sois assez fou pour entreprendre de tondre un lion et me jouer de Thrasymaque ?

Tu viens pourtant d'essayer, tout incapable que tu es en cela comme en tout le reste.

Brisons là-dessus, dis-je, et réponds-moi : le médecin au sens précis du mot, comme tu le définissais tout à l'heure, a-t-il pour objet de gagner de l'argent ou de soigner les malades ? Ne nous parle que du médecin véritable.

De soigner les malades, dit-il.

Et le pilote ? Le vrai pilote est-il chef des matelots ou matelot ?

(341d) Il est chef des matelots.

Il n'importe aucunement, n'est-ce pas, qu'il navigue sur le vaisseau ; il ne faut pas pour cela l'appeler matelot ; ce n'est point parce qu'il navigue qu'on l'appelle pilote, mais à cause de son art et du commandement qu'il exerce sur les matelots.

C'est juste, dit-il.

Chacun des deux n'a-t-il pas un intérêt qui lui est propre ?

Assurément.

Et l'art lui-même, continuai-je, n'a-t-il pas pour but de rechercher et de procurer à chacun cet intérêt ?

C'est là son but, dit-il.

Et chacun des arts a-t-il quelque autre intérêt que d'être aussi parfait que possible ?

Quel est le sens de ta question ?

(341e) Voici, dis-je. Si tu me demandais s'il suffit au corps d'être corps ou s'il a besoin d'autre chose, je te répondrais : Assurément il a besoin d'autre chose, et c'est pour cela qu'on a inventé aussi l'art médical en usage à présent, parce que le corps est défectueux et ne peut se contenter de ce qu'il est ; c'est pour lui procurer ce qui lui est utile que s'est organisé l'art. Ce que je dis te semble-t-il juste, ou non ?

(342a) Juste, répondit-il.

Mais quoi ! l'art médical même est-il défectueux, et en général un art a-t-il parfois besoin de quelque faculté, comme les yeux ont besoin de la vue et les oreilles de l'ouïe, ce qui fait qu'outre ces organes nous avons besoin d'un art propre à examiner et à procurer ce qui est utile pour voir et pour entendre ? Y a-t-il aussi dans l'art lui-même quelque défectuosité, et chaque art a-t-il besoin d'un autre art chargé de rechercher ce qui lui est utile, et celui-ci à son tour d'un autre, **(342b)** et ainsi de suite à l'infini ? Ou bien se chargera-t-il lui-même d'examiner ce qui lui est utile ? Ou bien n'a-t-il besoin ni de lui-même ni d'un autre art pour chercher le remède à son imperfection, vu qu'aucun art ne comporte ni imperfection ni erreur d'aucune sorte, qu'un art ne doit chercher que l'intérêt du sujet auquel il s'applique, tandis que lui-même, s'il est un art véritable, est incorruptible et pur, aussi longtemps qu'un art, au sens strict du mot, reste intégralement ce qu'il est. Examine de la manière rigoureuse dont tu parlais lequel de ces deux sentiments est le plus vrai.

Il me semble que c'est le dernier, dit-il.

(342c) Ainsi donc, repris-je, la médecine ne regarde pas l'intérêt de la médecine, mais celui du corps ?

Sans contredit, répondit-il.

Ni l'art vétérinaire l'intérêt de l'art vétérinaire, mais celui des chevaux, et en général aucun art n'a en vue son intérêt, puisqu'il n'a besoin de rien, mais celui du sujet auquel il s'applique.

Il semble, dit-il, qu'il en est ainsi.

Mais, Thrasymaque, les arts gouvernent et dominent le sujet sur lequel ils s'exercent ?

Il eut bien de la peine à m'accorder ce point.

Ainsi donc aucune science ne propose et n'ordonne ce qui est avantageux au plus fort, **(342d)** mais ce qui est avantageux à l'inférieur et au subordonné ?

Il finit aussi par en convenir, mais non sans avoir essayé d'ergoter.

Quand il se fut rendu : « N'est-il pas vrai aussi, demandai-je, qu'aucun médecin, en tant que médecin, n'a en vue et ne prescrit ce qui est utile au médecin, mais ce qui est utile au malade ? Car nous avons reconnu que le médecin, au sens rigoureux, gouverne le corps et n'est pas un mercenaire, n'est-il pas vrai ?

Il en convint.

Et que le pilote, au sens rigoureux, est chef des matelots, **(342e)** mais n'est pas matelot ?

Nous l'avons reconnu.

Un tel pilote et un tel chef n'aura donc pas en vue et ne prescrira pas ce qui est utile au pilote, mais ce qui est utile au matelot et à celui qu'il commande ?

Il en convint avec peine.

Par conséquent, Thrasymaque, repris-je, quelle que soit l'autorité qu'il exerce, aucun chef, en tant que chef, ne se propose et n'ordonne ce qui est utile à lui-même, mais ce qui est utile à celui qu'il commande et pour qui il exerce son art, et c'est en vue de cet homme et de ce qui lui est avantageux et convenable qu'il dit tout ce qu'il dit et fait tout ce qu'il fait.

(343a) La discussion en était là, et il était devenu évident à tous les assistants qu'elle avait abouti à une définition du juste exactement contraire, quand Thrasymaque, au lieu de répondre, s'écria : Dis-moi, Socrate, as-tu une nourrice ?

Quoi ? répliquai-je, ne vaudrait-il pas mieux répondre que de faire de pareilles questions ?

C'est que, dit-il, elle te laisse ainsi morveux, au lieu de te moucher. Tu en as besoin ; car elle ne t'a seulement pas appris ce que c'est que des moutons et un berger.

Comment cela ? dis-je.

(343b) C'est que tu t'imagines que les bergers et les bouviers ont en vue le bien de leurs moutons ou de leurs bœufs, et qu'ils les engraissent et les soignent dans une autre vue que l'intérêt de leurs maîtres et le leur propre. De même tu t'imagines que ceux qui gouvernent dans les États, j'entends ceux qui gouvernent véritablement, ont à l'égard de leurs subordonnés d'autres sentiments que ceux qu'on peut avoir pour des moutons, et que nuit et jour ils sont occupés d'autre chose que des moyens de tirer d'eux un profit personnel. **(343c)** Tu es si avancé dans la connaissance du juste et de la justice, de l'injuste et de l'injustice que tu ignores que la justice, et le juste, est un bien réellement étranger, puisqu'elle est l'avantage de celui qui est le plus fort et qui commande, que ce qui est propre à celui qui obéit et qui sert, c'est le dommage ; que l'injustice est le contraire, qu'elle commande à ceux qui sont véritablement naïfs et justes, que les sujets travaillent à l'intérêt du plus fort et en le servant font son bonheur, mais le leur, non pas. **(343d)** Pour t'en rendre compte, naïf Socrate, tu n'as qu'à remarquer que l'homme juste a partout le dessous vis-à-vis de l'injuste. D'abord dans les conventions où ils s'associent l'un à l'autre, jamais tu ne trouveras, à la dissolution de la société, que le juste a gagné au marché ; tu trouveras au contraire qu'il y a perdu ; ensuite dans les affaires publiques, s'il faut payer des contributions, le juste, à égalité de biens, contribue davantage, l'autre moins ; **(343e)** s'agit-il de recevoir, l'un ne remporte rien, l'autre remporte beaucoup. Que l'un et l'autre exercent quelque charge, le juste est sûr, s'il n'a pas d'autre dommage à subir, de laisser tout au moins péricliter ses affaires domestiques, parce qu'il ne peut s'en occuper, et de ne rien gagner sur le public, parce qu'il est juste. En outre il se fait des ennemis de ses parents et connaissances en refusant de les servir au détriment de la justice. **(344a)** C'est tout le contraire pour l'homme injuste, j'entends celui qui, comme je le disais tout à l'heure, est capable de s'arroger de grands avantages sur les autres. Voilà l'homme qu'il faut considérer, si tu veux discerner combien dans le particulier l'injustice est plus avantageuse que la justice. Mais le moyen le plus facile de t'en rendre compte, c'est de pousser jusqu'à l'injustice la plus achevée, celle qui met l'homme injuste au comble du bonheur, et au comble du malheur celui qui est la victime de l'injustice et qui ne saurait consentir à la pratiquer, je parle de la tyrannie, qui ne s'empare pas en détail du bien d'autrui, mais qui l'envahit d'un seul coup par la fraude et la violence, sans distinction de ce qui est sacré ou profane, public ou privé. **(344b)** Qu'un homme se laisse prendre à commettre une quelconque de ces injustices, on le punit et on l'accable des plus sanglants opprobres ; on l'appelle sacrilège, trafiquant d'hommes, perceur de murailles, spoliateur, voleur, selon l'injustice particulière qu'il a commise. Au contraire, quand un homme, non content de prendre leurs biens aux citoyens, les a réduits eux-mêmes en servitude, au lieu de ces noms ignominieux, il est appelé heureux et fortuné non seulement par ses concitoyens, **(344c)** mais encore par tous ceux qui viennent à savoir l'injustice intégrale qu'il a commise ; car si on blâme l'injustice, ce n'est pas qu'on craigne de la pratiquer, c'est qu'on craint de la subir. Conclus, Socrate, que l'injustice, poussée à un degré suffisant, est plus forte, plus digne d'un homme libre, plus royale que la justice, et, comme je le disais en commençant, que la justice est l'intérêt du plus fort, et que l'injustice se vaut à elle-même avantage et profit.

(344d) Ayant ainsi parlé, Thrasymaque pensait à se retirer, après avoir, comme un baigneur, versé sur nos oreilles la masse énorme de son discours. Mais la compagnie s'opposa à son départ et le força de rester pour rendre compte de ce qu'il venait d'avancer. De mon côté, je l'en priai instamment et je lui dis : « Ô divin Thrasymaque, c'est après nous avoir lancé un pareil discours que tu songes à nous quitter, sans avoir démontré suffisamment ou sans avoir appris si la chose est comme tu dis ou non ! **(344e)** Crois-tu donc n'avoir entrepris de définir qu'une chose de peu d'importance, et non la règle de conduite que chacun doit suivre pour tirer de la vie le meilleur parti ?

Est-ce donc, dit Thrasymaque, que j'en juge autrement ?

Tu en as l'air, répondis-je ; ou alors c'est que tu ne te soucies pas de nous et qu'il t'importe peu que nous vivions heureux ou non, faute de connaître ce que tu prétends savoir. Daigne plutôt, excellent homme, nous en instruire nous aussi ; **(345a)** je t'assure que tu ne feras pas un mauvais placement en obligeant la nombreuse compagnie que nous sommes. Pour moi, je te le déclare, je ne suis pas persuadé et je ne crois pas que l'injustice soit plus profitable que la justice, quand même on laisserait libre cours à l'injustice, sans mettre obstacle à ses agissements. Admettons, mon brave, qu'un homme soit injuste et qu'il ait tout pouvoir de pratiquer l'injustice, soit en secret, soit à force ouverte, je ne croirai pas pour cela qu'il en retire plus de profit que de la justice ; **(345b)** et sans doute il y en a plus d'un ici qui pense comme moi, et je ne suis pas seul de mon avis. Persuade-nous donc, ô grand homme, par des arguments décisifs, que nous raisonnons mal en plaçant la justice au-dessus de l'injustice.

Le moyen de te persuader ? dit-il. Si ce que je viens de dire ne t'a pas convaincu, que puis-je faire encore ? Faut-il que je fasse entrer de force mes raisons dans ton esprit ?

Non, par Zeus, répliquai-je, n'en fais rien ; mais tout d'abord tiens-toi aux choses que tu auras dites, ou, **(345c)** si tu y fais quelque changement, fais-le ouvertement, et sans nous surprendre. Or à présent,

Thrasymaque, pour revenir à ce que nous avons dit, tu vois qu'après avoir donné d'abord la définition du véritable médecin, tu ne t'es plus cru obligé ensuite de t'en tenir rigoureusement à celle du véritable berger. Tu crois au contraire qu'il paît ses moutons, en tant que berger, non point en vue du bien de son troupeau, mais comme un gastronome, pour en faire bonne chère dans un festin, **(345d)** ou comme un homme d'affaires, pour les vendre, et pas du tout comme un berger. Or l'art du berger n'a pas, n'est-ce pas, d'autre but que de procurer le plus grand bien de l'objet auquel il s'applique ; car pour les qualités intrinsèques qui constituent sa perfection, il est, je pense, entièrement pourvu, tant qu'il ne perd rien de son essence d'art pastoral. Par la même raison je croyais tout à l'heure qu'il nous fallait convenir que tout gouvernement, en tant que gouvernement, **(345e)** se propose uniquement le bien du sujet dont il a la charge, que le sujet soit un État ou un simple particulier. Mais toi, penses-tu que ceux qui gouvernent les États, je dis ceux qui gouvernent véritablement, t'imagines-tu qu'ils le fassent volontairement ?

Non, par Zeus ! je ne l'imagine pas : j'en suis sûr.

Mais les autres charges publiques, Thrasymaque, repris-je, n'as-tu pas remarqué que personne ne consent à les exercer pour le plaisir, mais que l'on exige un salaire, parce qu'on ne pense pas servir son intérêt personnel, **(346a)** mais celui des administrés ? En veux-tu la preuve ? Réponds seulement à ma question. Ne dit-on pas toujours que chacun des arts se distingue des autres en ce qu'il a une fonction différente ? Réponds-moi, grand homme, sans déguiser ta pensée, afin que nous avancions un peu la discussion.

Ils se distinguent en effet, dit-il, par leur fonction.

Chaque art ne nous procure-t-il pas une sorte d'avantage particulier et non commun à tous, la médecine, la santé, le pilotage, la sécurité de la navigation, et ainsi des autres arts !

Si.

De même l'art du mercenaire ne procure-t-il pas un salaire ? **(346b)** C'est là en effet sa fonction propre. Confonds-tu ensemble la médecine et le pilotage, et, si tu veux définir les termes avec rigueur, comme tu l'as proposé, est-ce une raison, s'il arrive qu'un pilote acquière de la santé en gouvernant un vaisseau, parce qu'il lui est salutaire d'aller sur mer, est-ce une raison pour appeler son art médecine ?

Non certes, dit-il.

Ni pour appeler médecine l'art du mercenaire, s'il acquiert de la santé en faisant son métier de mercenaire ?

Non, certes.

Et la médecine, la confondras-tu avec l'art du mercenaire, parce que le médecin en guérissant gagne un salaire ?

(346c) Non, dit-il.

N'avons-nous pas reconnu que chaque art procure un avantage particulier ?

Soit, dit-il.

Si donc il existe un avantage commun à tous les artistes, il est évident qu'ils le tirent d'un même élément commun, qu'ils ajoutent à l'exercice de leur art.

Il semble, dit-il.

Or nous disons que l'avantage des artistes, quand ils touchent un salaire, leur vient de ce qu'ils ajoutent à leur art l'art du mercenaire.

Il en convint avec peine.

(346d) Ce n'est donc point de leur art respectif qu'ils retirent cet avantage qu'est la réception d'un salaire ; mais, à parler rigoureusement, la médecine produit la santé, et l'art du mercenaire, le salaire ; l'art de l'architecte, une maison, et l'art du mercenaire qui lui est lié, le salaire, et ainsi de tous les autres arts. Ils font chacun l'œuvre qui leur est propre et procurent l'avantage du sujet auquel ils s'appliquent. Mais si le salaire ne s'ajoute pas à l'art, l'artiste retire-t-il quelque avantage de son art ?

Il ne semble pas, dit-il.

Mais ne rend-il pas de services, alors même qu'il l'exerce gratuitement ?

(346e) Il en rend, à mon avis.

Dès lors, Thrasymaque, il est évident qu'aucun art ni aucun commandement ne procure ce qui est avantageux à lui-même ; il ne procure et ne commande, nous l'avons déjà dit, que ce qui est avantageux au sujet commandé, parce qu'il n'a en vue que le bien de ce sujet, qui est le plus faible, et non celui du plus fort. Voilà précisément pourquoi, mon cher Thrasymaque, je soutenais tout à l'heure que personne ne s'offre spontanément à commander et à soigner et guérir les maux d'autrui, et qu'on réclame un salaire, parce que celui qui veut exercer convenablement son art, ne fait ni ne commande jamais, **(347a)** en tant qu'il commande en vertu de son art, ce qui est le meilleur pour lui, mais pour le sujet commandé. C'est pour cela, semble-t-il, qu'il faut assurer un salaire à ceux qui consentent à commander, soit de l'argent, soit de l'honneur, soit une punition, s'ils refusent.

Que veux-tu dire par là, Socrate ? demanda Glaucon. Je vois bien ce que sont les deux salaires ; mais en quoi consiste cette punition dont tu parles et comment tu lui attribues la valeur d'un salaire, je ne le vois pas.

C'est que tu ne connais pas le salaire des honnêtes gens, **(347b)** celui pour lequel les plus vertueux gouvernent, quand ils veulent bien s'y résoudre. Ne sais-tu pas que l'amour des honneurs et des richesses passe pour une chose honteuse et l'est en effet ?

Je le sais, dit-il.

Aussi, continuai-je, les gens de bien ne veulent gouverner ni pour des richesses ni pour des honneurs : ils ne veulent pas être traités de mercenaires, en exigeant ouvertement le salaire de leur fonction, ni de voleurs, en tirant eux-mêmes de leur charge des profits secrets. Ils ne sont pas non plus attirés par les honneurs ; car ils ne sont pas ambitieux. **(347c)** Il faut donc qu'une punition les contraigne à prendre part aux affaires ; aussi risque-t-on, à prendre volontairement le pouvoir, sans attendre la nécessité, d'encourir quelque honte. Or la punition la plus grave, c'est d'être gouverné par un plus méchant que soi, quand on se refuse à gouverner soi-même : c'est par crainte de cette punition, ce me semble, que les honnêtes gens qu'on voit au pouvoir se chargent du gouvernement. Alors ils se mêlent aux affaires, non pour leur intérêt ni pour leur plaisir, **(347d)** mais par nécessité et parce qu'ils ne peuvent les confier à des hommes plus dignes ou du moins aussi dignes qu'eux-mêmes. Supposez un État composé de gens de bien : on y ferait sans doute des brigues pour échapper au pouvoir, comme on en fait à présent pour le saisir, et l'on y verrait bien que réellement le véritable gouvernant n'est point fait pour chercher son propre intérêt, mais celui du sujet gouverné ; et tout homme sensé préférerait être l'obligé d'un autre que de se donner la peine d'obliger autrui. **(347e)** Je ne fais donc aucune concession à Thrasymaque sur ce point, que le juste est ce qui est avantageux au plus fort ; mais nous en reprendrons l'examen une autre fois.

J'attache beaucoup plus d'importance à ce qu'il vient de dire, que le sort de l'injuste est plus heureux que celui du juste. Mais toi, Glaucon, dis-je, quelle vue préfères-tu ? laquelle des deux assertions te semble la plus vraie ?

Le sort du juste, répondit-il, me semble à moi plus avantageux.

(348a) Tu viens d'entendre, repris-je, Thrasymaque énumérer tous les biens attachés à la condition du méchant ?

Oui, je l'ai entendu, dit-il ; mais je ne suis pas convaincu.

Alors veux-tu que nous le convainquions, si nous pouvons en trouver le moyen, qu'il est dans l'erreur ?

Comment ne le voudrais-je pas ? dit-il.

Si donc, dis-je, ramassant nos forces et opposant discours à discours, nous énumérons tous les avantages qu'à son tour comporte la justice, et qu'il réplique et que nous répondions, **(348b)** il faudra compter les avantages et mesurer ce que nous aurons dit l'un et l'autre dans nos deux discours respectifs, et il nous faudra dès lors des arbitres pour trancher le débat. Si au contraire nous examinons les choses comme tout à l'heure, en nous mettant d'accord, nous serons nous-mêmes à la fois juges et avocats.

C'est vrai, dit-il.

Laquelle des deux méthodes, demandai-je, a tes préférences ?

La dernière, dit-il.

Allons, Thrasymaque, dis-je, reprenons au début, et réponds-nous. Tu prétends que la parfaite injustice est plus avantageuse que la parfaite justice ?

(348c) Certainement j'ose le prétendre, dit-il, et j'en ai dit les raisons.

Eh bien, voyons, que penses-tu de ces deux choses ? Donnes-tu à l'une le nom de vertu, à l'autre le nom de vice ?

Sans doute.

C'est à la justice que tu donnes le nom de vertu, à l'injustice celui de vice ?

Il y a apparence, n'est-ce pas, cher homme, quand je soutiens d'autre part que l'injustice est utile et que la justice ne l'est pas !

Alors quoi ?

C'est le contraire, répondit-il.

C'est la justice qui est un vice ?

(348d) Non, mais une généreuse simplicité.

Alors l'injustice est malice pour toi ?

Non, dit-il, c'est discernement.

Tu crois aussi, Thrasymaque, que les hommes injustes sont prudents et sages ?

Oui, dit-il, ceux qui peuvent être injustes parfaitement et qui sont assez puissants pour mettre sous leur joug des États et des nations. Tu crois peut-être que je parle des coupeurs de bourse ; ce n'est pas que de telles pratiques soient sans profit, tant qu'elles ne sont pas découvertes ; mais elles ne valent pas la peine qu'on en parle, en comparaison de celles que j'indiquais à l'instant.

(348e) Je conçois bien ta pensée, dis-je ; mais ce qui me confond, c'est que tu classes l'injustice avec la vertu et la sagesse, et la justice avec les qualités contraires.

C'est pourtant bien ainsi que je les classe.

Ainsi présentée, dis-je, cette thèse est bien dure et devient difficile à réfuter ; car si tu posais en principe que l'injustice est utile, mais en avouant, comme certains autres, que c'est un vice ou une chose honteuse, nous pourrions pour te répondre en appeler à l'opinion générale ; mais il est évident que tu vas soutenir qu'elle est belle et forte, et que tu vas lui attribuer toutes les autres qualités que nous attribuions auparavant à la justice, **(349a)** puisque tu as eu l'audace de la mettre au rang de la vertu et de la sagesse.

On ne peut mieux deviner, dit-il.

Il ne faut pourtant pas se rebuter, dis-je ; il faut poursuivre notre examen, tant que j'aurai lieu de croire que tu parles sérieusement ; car il me paraît réellement, Thrasymaque, que ce n'est point raillerie de ta part et que c'est bien le fond de ta pensée que tu nous livres.

Que t'importe, répliqua-t-il, que ce soit ou non le fond de ma pensée ? Réfute-moi seulement.

(349b) Peu m'importe, en effet, dis-je ; mais tâche de répondre encore à la question que voici. Te semble-t-il que l'homme juste voudrait l'emporter en quelque chose sur l'homme juste ?

Jamais ; autrement il ne serait plus ridicule et sot, comme il l'est.

Mais dans un acte juste voudrait-il outrepasser la justice ?

Il ne le voudrait pas non plus, dit-il.

Mais voudrait-il l'emporter sur l'homme injuste et croirait-il juste ou injuste de le faire ?

Il le croirait juste, répondit-il, et il prétendrait l'emporter, mais il n'y parviendrait pas.

Ce n'est pas cela, dis-je, que je veux savoir ; **(349c)** je te demande si le juste n'aurait ni la prétention ni la volonté de l'emporter sur le juste, mais seulement sur l'homme injuste.

C'est bien ainsi, dit-il, que je l'entends.

Et l'injuste, prétendrait-il l'emporter sur le juste et sur l'action juste ?

Assurément, dit-il, puisqu'il veut l'emporter sur tout le monde.

Ainsi donc l'homme injuste cherchera à dépasser l'homme injuste et l'action injuste, et il s'efforcera de l'emporter sur tous.

C'est cela.

Ainsi c'est un point acquis, repris-je : le juste ne veut pas l'emporter sur son semblable, mais sur son contraire, **(349d)** tandis que l'injuste veut l'emporter aussi bien sur son semblable que sur son contraire.

C'est parfaitement exact, dit-il.

Or, dis-je, l'injuste est intelligent et bon, le juste n'est ni l'un ni l'autre.

Très exact aussi, dit-il.

L'homme injuste ressemble donc à l'homme intelligent et bon, et le juste ne lui ressemble pas ?

Sans doute, répliqua-t-il ; un homme qui a ces qualités doit ressembler à ceux qui les ont, au lieu qu'un homme fait différemment en diffère.

Fort bien ; ainsi chacun des deux est tel que ceux auxquels il ressemble.

Il n'en saurait être autrement, dit-il.

Entendu, Thrasymaque. Maintenant ne dis-tu pas que tel homme est musicien, **(349e)** que tel autre ne l'est pas ?

Si.

Lequel des deux est intelligent, et lequel sot ?

C'est, bien sûr, le musicien qui est intelligent, et l'autre sot.

Le premier n'est-il pas bon aussi dans les choses où il est intelligent, l'autre mauvais dans les choses où il est sot ?

Si.

N'est-ce pas la même chose à l'égard du médecin ?

Si.

Et maintenant, excellent homme, penses-tu qu'un musicien qui accorde sa lyre voulût l'emporter sur un musicien dans la tension ou le relâchement des cordes, et prétendît avoir l'avantage sur lui ?

Non pas.

Et sur un homme ignorant en musique ?

Oui, forcément, dit-il.

(350a) Et le médecin ? En réglant le boire et le manger, voudrait-il l'emporter sur un médecin ou sur une règle médicale ?

Non, certes.

Et sur un homme ignorant en médecine ?

Oui.

Vois de même, à l'égard de toute espèce de science ou d'ignorance, s'il te paraît qu'un savant quelconque voudrait, dans ce qu'il fait et ce qu'il dit, l'emporter sur un autre savant, ou s'il n'aspire qu'à faire la même chose que son semblable dans les mêmes circonstances.

Il semble, dit-il, qu'il faut l'admettre.

(350b) Mais l'ignorant ne voudrait-il pas l'emporter et sur le savant et sur l'ignorant indistinctement ?

Peut-être.

Mais le savant est sage ?

Oui.

Et le sage est bon ?

Oui.

Naturellement celui qui est bon et sage ne voudra pas l'emporter sur son semblable, mais sur celui qui ne lui ressemble pas et qui est son contraire.

Il semble, dit-il.

Au lieu que celui qui est mauvais et ignorant voudra l'emporter sur son semblable aussi bien que sur son contraire.

On peut le croire.

Or, Thrasymaque, dis-je, n'avons-nous pas reconnu que l'homme injuste veut l'emporter sur son contraire et son semblable ? N'est-ce pas ce que tu as dit ?

Si, répondit-il.

(350c) Et que le juste ne voudra pas l'emporter sur son semblable, mais sur son contraire ?

Oui.

Le juste ressemble donc, dis-je, à l'homme sage et bon, et l'injuste à l'homme méchant et ignorant.

C'est bien possible.

Mais nous sommes convenus que l'un et l'autre est tel que celui auquel chacun d'eux ressemble.

Nous en sommes convenus en effet.

Il est donc démontré que le juste est à la fois bon et sage, et l'injuste à la fois ignorant et méchant.

Thrasymaque convint de tout cela, non pas aussi aisément que je le rapporte à présent, mais à contrecœur et à grand-peine. **(350d)** Il suait à grosses gouttes, d'autant plus qu'il faisait très chaud, et je vis alors ce que je n'avais jamais vu, Thrasymaque rougir. Mais lorsque nous fûmes convenus que la justice est vertu et sagesse, et l'injustice vice et ignorance : Bon ! dis-je, tenons ce point pour établi. Mais nous avons dit aussi que l'injustice a la force en partage ; ne t'en souviens-tu pas, Thrasymaque ?

Je m'en souviens, dit-il ; mais pour ma part je ne suis pas content non plus de ce que tu viens de dire et j'ai de quoi y répondre. **(350e)** Il est vrai que si je prends la parole, tu diras, j'en suis sûr, que je fais une harangue. Laisse-moi donc parler à ma guise, ou, si tu veux interroger, interroge, et moi, comme on en use avec les vieilles femmes qui font des contes, je laisserai dire et je répondrai oui et non par un signe de tête.

Ne réponds pas du moins, dis-je, contre ta pensée.

Je répondrai comme il te plaira, dit-il, puisque tu ne veux pas me laisser parler. Que désires-tu de plus ?

Rien, par Zeus, dis-je ; mais si tu veux me répondre, fais-le ; je vais t'interroger.

Eh bien ! interroge.

Je te poserai donc la même question que tout à l'heure ; **(351a)** car je veux continuer méthodiquement la discussion : qu'est-ce que la justice par rapport à l'injustice ? Il a été dit à un moment que l'injustice était plus puissante et plus forte que la justice ; mais à présent, dis-je, s'il est vrai que la justice est sagesse et vertu, il est facile, je pense, de montrer qu'elle est plus forte que l'injustice, puisque l'injustice est ignorance ; c'est une conclusion incontestable. Mais je n'userai pas, Thrasymaque, d'une démonstration aussi simple, et je vais examiner la question d'un autre point de vue. **(351b)** N'y a-t-il pas, dis-moi, d'État qui soit injuste et qui tâche d'asservir ou ait asservi injustement d'autres États, ou qui en tienne plusieurs en esclavage ?

Sans doute, répondit-il, et l'État le meilleur et le plus parfaitement injuste sera le premier à le faire.

C'est la thèse que tu as soutenue, je le sais ; mais de cette thèse je ne retiens que ce point : est-ce qu'un État qui se rend maître d'un autre peut exercer sa domination sans employer la justice, ou s'il sera contraint d'y avoir recours ?

(351c) S'il en est, dit-il, comme tu l'affirmais tout à l'heure, si la justice est sagesse, c'est de la justice qu'il usera ; mais s'il en est comme je le disais, c'est de l'injustice.

Je suis charmé, Thrasymaque, dis-je, que tu ne te contentes pas de dire oui et non d'un signe de tête, et que tu me répondes si bien.

C'est pour te faire plaisir, dit-il.

À merveille ; mais fais-moi encore la grâce de répondre à ceci : crois-tu qu'un État, une armée, une troupe de brigands, de voleurs, ou toute autre bande de malfaiteurs associés pour quelque mauvais coup pourraient tant soit peu réussir, s'ils violaient à l'égard les uns des autres les règles de la justice ?

(351d) Non certes, dit-il.

Et s'ils les observaient, ne réussiraient-ils pas mieux ?

Assurément.

La raison en est sans doute, Thrasymaque, que l'injustice fait naître entre les hommes des dissensions, des haines, des batailles, au lieu que la justice entretient la concorde et l'amitié. Est-ce vrai ?

Soit, dit-il : je ne veux pas contester avec toi.

Tu es bien aimable, excellent homme. Mais réponds à ma question. Si c'est le propre de l'injustice de faire naître la haine partout où elle se trouve, quand elle se produira chez des hommes libres ou des esclaves, ne fera-t-elle pas naître aussi parmi eux la haine, **(351e)** la discorde et l'impuissance de rien entreprendre en commun ?

Assurément.

Et si elle se trouve en deux personnes, ne seront-elles pas divisées, haineuses, hostiles à l'égard l'une de l'autre, comme elles le sont à l'égard des justes ?

Elles le seront, dit-il.

Et si l'injustice, ô homme divin, se rencontre chez une seule personne, perdra-t-elle sa propriété, ou la gardera-t-elle entière ?

Qu'elle la garde entière, dit-il.

Ainsi, quel que soit le sujet où elle réside, ville, nation, armée, société quelconque, **(352a)** il est évident que l'effet de l'injustice est d'abord de le mettre dans l'impuissance d'agir en accord avec lui-même par la dissension et la discorde qu'elle y suscite, et ensuite de le rendre ennemi de lui-même et de tous ceux qui lui sont contraires et qui sont justes. N'est-ce pas vrai ?

Si.

Ne se trouvât-elle que dans un seul individu, elle produira, je suppose, les mêmes effets, puisque c'est dans sa nature de les produire : tout d'abord elle le mettra dans l'impossibilité d'agir en excitant la discorde et la contradiction dans son âme, ensuite elle le rendra ennemi aussi bien de lui-même que des justes ; n'est-ce pas vrai ?

Si.

Mais, mon ami, les dieux ne sont-ils pas justes aussi ?

(352b) Soit, dit-il.

S'il en est ainsi, Thrasymaque, l'homme injuste sera aussi l'ennemi des dieux, et le juste sera leur ami.

Régale-toi à ton aise de tes discours, dit-il ; je ne te contredirai pas: je ne veux pas indisposer contre moi la compagnie.

Eh bien, allons ! repris-je ; sers-moi le reste du festin en continuant à répondre. Nous avons montré que les hommes justes sont plus sages, meilleurs et plus capables d'agir que les hommes injustes, que ceux-ci sont incapables d'agir de concert ; **(352c)** et, si l'on dit qu'en dépit de leur injustice il s'en trouve qui aient parfois exécuté vigoureusement quelque entreprise en commun, nous affirmons que c'est une erreur totale ; car ils ne se seraient pas épargnés les uns les autres, s'ils avaient été tout à fait injustes, et il est évident qu'ils avaient en eux quelque justice qui les empêchait de se nuire les uns aux autres, dans le temps qu'ils nuisaient à leurs adversaires, et qui leur a permis de faire ce qu'ils ont fait ; en se portant à leurs injustes entreprises, ils n'étaient qu'à demi gâtés par l'injustice, puisque ceux qui sont complètement méchants et entièrement injustes sont par cela même dans une impuissance absolue de rien faire. **(352d)** Voilà la vérité, comme je la conçois, en opposition à la thèse que tu as exposée au début. Maintenant il faut examiner si le sort du juste est meilleur et plus heureux que celui de l'injuste, question que nous nous étions promis de traiter par la suite. Or cela est dès maintenant évident, ce me semble, d'après ce que nous avons dit. Cependant il faut examiner la chose plus à fond ; aussi bien il n'est pas ici question d'une bagatelle, mais de ce qui doit faire la règle de notre vie.

Examine donc, dit-il.

C'est ce que je vais faire, répondis-je. Dis-moi, le cheval n'a-t-il pas, à ton avis, une fonction qui lui est propre ?

(352e) Si.

N'admets-tu pas que la fonction, soit du cheval, soit de tout autre animal, c'est ce qu'on peut faire uniquement ou du moins le plus parfaitement par cet animal seul ?

Je ne comprends pas, dit-il.

Je m'explique autrement. Peut-on voir par autre chose que par les yeux ?

Non, certes.

Entendre par autre chose que par les oreilles ?

Nullement.

Nous pouvons donc dire avec raison que c'est là leur fonction ?

Assurément.

(353a) Ne pourrait-on pas tailler la vigne avec un **coutelas**[31], un **tranchet**[32] et beaucoup d'autres instruments ?

Pourquoi pas ?

Mais aucun, je pense, ne ferait aussi bien l'office qu'une serpette faite pour cela.

C'est vrai.

N'admettrons-nous pas que c'est là la fonction de la serpette ?

Nous l'admettrons certainement.

Maintenant, je pense, tu comprends mieux ce que je disais tout à l'heure, quand je te demandais si la fonction d'une chose n'est pas ce qu'elle fait seule ou fait mieux que les autres.

Je comprends, dit-il, et je crois que c'est bien là la fonction de chaque chose.

(353b) Bien, dis-je. Mais tout ce qui est chargé d'une fonction n'a-t-il pas aussi une vertu qui lui est propre ? Et, pour en revenir à mes exemples de tout à l'heure, les yeux, disons-nous, ont une fonction ?

Ils en ont une.

Ils ont donc aussi une vertu ?

Ils ont aussi une vertu.

Nous avions attribué une fonction aux oreilles aussi ?

31. **Coutelas** Grand couteau.

32. **Tranchet** Outil à lame courbée utilisé en cordonnerie.

Oui.

Et par conséquent une vertu aussi?

Aussi.

N'en est-il pas de même de toute autre chose?

Il en est de même.

Eh bien! est-ce que les yeux pourraient jamais bien remplir leur fonction, si, au lieu d'avoir la vertu qui leur est propre, **(353c)** ils avaient à la place le vice contraire?

Comment le pourraient-ils? répondit-il; tu veux dire sans doute la cécité à la place de la vue.

Quelle est leur vertu, peu importe; ce n'est pas cela que je demande, mais si les êtres chargés d'une fonction la remplissent bien par leur vertu propre, mal par le vice contraire.

Cela est certain, répondit-il.

Ainsi donc les oreilles aussi privées de leur vertu propre feront mal leur fonction?

Certainement.

(353d) La même observation ne s'applique-t-elle pas à toutes les autres choses?

C'est mon avis,

Allons! maintenant examinons ceci. L'âme n'a-t-elle pas une fonction, qu'aucune autre chose au monde ne peut remplir, comme diriger, commander, délibérer et toutes les choses du même genre? A-t-on droit d'attribuer ces fonctions à autre chose qu'à l'âme, et ne faut-il pas dire qu'elles lui sont propres?

On ne peut les attribuer qu'à l'âme.

Et la vie, à son tour, ne la reconnaîtrons-nous pas comme une fonction de l'âme?

Si, assurément, dit-il.

Ne soutiendrons-nous pas que l'âme aussi a sa vertu particulière?

Nous le soutiendrons.

(353e) Est-ce que l'âme s'acquittera jamais bien de ses fonctions, Thrasymaque, si elle est privée de la vertu qui lui est propre, ou est-ce impossible?

C'est impossible.

C'est donc une nécessité qu'une âme méchante gouverne et dirige mal, que la bonne au contraire s'acquitte bien de tout cela.

C'est une nécessité.

Ne sommes-nous pas tombés d'accord que la justice est une vertu, et l'injustice un vice de l'âme ?

Nous en sommes tombés d'accord en effet.

Par conséquent l'âme juste et l'homme juste vivront bien, l'injuste, mal ?

C'est évident, dit-il, d'après ton raisonnement.

(354a) Mais à coup sûr celui qui vit bien est heureux et fortuné, celui qui vit mal, le contraire.

Sans doute.

Ainsi l'homme juste est heureux, l'injuste, malheureux ?

Soit, dit-il.

Mais il n'est pas avantageux d'être malheureux, et il l'est d'être heureux.

Sans doute.

Il n'est donc pas vrai, divin Thrasymaque, que l'injustice soit plus avantageuse que la justice.

Fais de cela, Socrate, dit-il, ton festin des **Bendidies**[33].

C'est toi qui me l'as servi, Thrasymaque, répondis-je, en te rendant traitable et en renonçant à ta rudesse. **(354b)** Il est vrai que le régal a été maigre ; mais c'est ma faute, et non la tienne. Il me semble que j'ai fait comme les gourmands qui agrippent et goûtent tous les plats à mesure qu'on les sert, sans avoir mangé suffisamment du précédent : moi aussi avant d'avoir trouvé ce que nous cherchions en premier lieu, à savoir la nature de la justice, j'ai lâché ce sujet pour me jeter dans l'examen de ce point particulier, si la justice est vice et ignorance, ou sagesse et vertu ; puis, un autre propos étant survenu, à savoir si l'injustice est plus avantageuse que la justice, je n'ai pu m'empêcher de quitter le sujet précédent pour celui-ci ; **(354c)** en sorte qu'à présent le résultat de la discussion, c'est que je ne sais rien ; car du moment que je ne sais pas ce qu'est la justice, je saurai encore moins si c'est, ou non, une vertu, et si celui qui la possède est heureux ou malheureux.

33. **Bendidies** Fêtes se déroulant au Pirée en l'honneur de la déesse Bendis.

§ 2. JUSTICE DE L'ÂME, JUSTICE DE LA CITÉ – LA DÉFINITION DE LA JUSTICE DE PLATON

Après avoir réfuté Thrasymaque à la fin du livre I, Socrate se voit contraint d'exposer sa propre définition de la justice et ses avantages. Il propose alors d'orienter la discussion vers la cité plutôt que vers l'individu. Puisque la première est plus grande que le second, la justice y sera plus facile à voir. Étudiant une cité en développement, Socrate sera en mesure d'apercevoir ce qui la corrompt. Il proposera alors des mesures afin de la purifier et de la ramener vers la justice. La méthode particulière qu'emploie Socrate, et qui s'appuie sur une équivalence de structure entre la constitution d'une cité et la composition de

l'âme humaine, aura des répercussions sur la définition de la justice qu'il donnera dans la présente section, définition qui se fonde à la fois sur des comportements précis (concupiscence, colère et raison) et des vertus qui leur correspondent (tempérance, courage, sagesse). Seules l'âme harmonieuse et la cité bien ordonnée pourront réaliser l'idéal

de justice.

LES QUATRE VERTUS CARDINALES : TEMPÉRANCE, COURAGE, SAGESSE ET JUSTICE

[*Dialogue entre Socrate et Glaucon*]

(427d) À présent, dis-je, tu peux, fils d'Ariston, considérer la cité comme fondée. Il ne reste plus qu'à y trouver l'objet de nos recherches. Procure-toi donc quelque part un flambeau approprié, et appelle à ton aide ton frère, Polémarque et les autres, et voyons ensemble en quel endroit réside la justice, en quel endroit l'injustice, en quoi elles diffèrent l'une de l'autre, et à laquelle des deux il faut s'attacher pour être heureux, qu'on échappe ou non aux regards de tous les dieux et de tous les hommes.

Tu parles pour rien, dit Glaucon, **(427e)** puisque tu t'es engagé à faire cette recherche toi-même, te déclarant impie si tu ne te portais pas au secours de la justice avec toutes tes forces et toutes tes ressources.

C'est vrai, dis-je, ce que tu me rappelles, et je dois m'exécuter ; mais il faut que vous m'aidiez.

Eh bien, dit-il ; on t'aidera.

J'espère, repris-je, que nous trouverons ce que nous cherchons en procédant comme je vais faire. Si notre État est bien constitué, il doit être parfait.

Nécessairement.

Il est donc évident qu'il est prudent, courageux, tempérant et juste.

C'est évident.

Donc, quelle que soit celle de ces vertus que nous découvrirons en lui, **(428a)** le reste sera ce que nous n'aurons pas trouvé.

Cela va de soi.

Suppose qu'il s'agisse de quatre choses présentes en un endroit, et que nous en cherchions une ; quand nous aurions trouvé cette première chose, nous nous en tiendrions là ; mais si nous avions auparavant les trois autres, nous aurions reconnu par cela même celle que nous cherchions ; car il est évident que ce ne pourrait plus être que celle qui resterait.

C'est exact, dit-il.

Ne faut-il pas pour ces vertus, qui sont justement quatre, suivre la même méthode ?

Évidemment si.

(482b) Eh bien, tout d'abord il en est une que j'aperçois au premier regard : c'est la sagesse ; j'y vois même quelque chose d'étrange.

Quoi ? demanda-t-il.

L'État dont nous avons tracé le plan me paraît être réellement sage ; car il est sage en ses conseils, n'est-ce pas ?

Oui.

Or cela même, la sagesse dans les conseils, est évidemment une science, puisque ce n'est pas l'ignorance, mais la science qui inspire les bons conseils.

Évidemment.

Mais il y a beaucoup de sciences, et de toute espèce dans l'État.

Sans doute.

(428c) Il y a la science des charpentiers : est-ce elle qui vaut à l'État le nom de sage et de prudent en ses conseils ?

Pas du tout, dit-il ; à ce titre, il passera seulement pour habile charpentier.

Il y a aussi la science des menuisiers : ce n'est pas elle non plus qui, en délibérant sur les moyens de faire des meubles parfaits, vaut à l'État le nom de sage.

Assurément non.

Ce n'est pas non plus la science qui se rapporte aux ouvrages en airain ou autres du même genre ?

Ce n'est pas non plus, dit-il, aucune de ces sciences.

Ni celle qui s'occupe de faire pousser les fruits de la terre ; l'État n'en peut tirer que la réputation de bon agriculteur.

Il me semble.

Mais quoi ? repris-je ; n'y a-t-il pas dans l'État que nous venons de fonder une science qui réside en quelques citoyens, **(428d)** et qui délibère, non pas sur un objet particulier, mais sur l'État même en son entier, pour régler le mieux possible tant son organisation intérieure que ses rapports avec les autres États ?

Il y en a une assurément.

Laquelle, dis-je, et chez qui ?

La science qui garde l'État, chez ces magistrats que nous avons appelés tout à l'heure des gardiens parfaits.

Et quel est le nom que cette science vaut à l'État ?

Celui de prudent en ses conseils, dit-il, et de réellement sage.

Eh bien, repris-je, **(428e)** crois-tu que dans notre État les forgerons ne seront pas plus nombreux que ces véritables gardiens ?

Il y aura, dit-il, bien plus de forgerons.

Et si tu compares ces gardiens aux autres corps qui tirent leur nom de quelque science, ne sont-ils pas les moins nombreux de tous ?

De beaucoup.

Par conséquent c'est au corps le moins nombreux, à la plus petite partie de lui-même et à la science qui y réside, c'est enfin à ce qui est à sa tête et le gouverne qu'un État constitué selon la nature et considéré dans son ensemble doit le nom de sage, **(429a)** et c'est, à ce qu'il semble, au groupe le moins nombreux qu'il appartient d'avoir part à cette science qui seule entre toutes mérite le nom de sagesse.

Cela est très vrai, dit-il.

Voilà donc une des quatre choses que nous venons je ne sais comment de découvrir, elle et l'endroit où elle réside.

Je crois, dit-il, que nous devons nous tenir pour satisfaits de la découverte.

Quant au courage en lui-même et à la partie de l'État où il se trouve, partie qui fait donner à l'État le nom de courageux, c'est une chose qui n'est pas bien difficile à découvrir.

Comment ?

(429b) Doit-on, repris-je, pour dire si l'État est lâche ou courageux, considérer autre chose que cette partie qui combat et fait la guerre pour lui ?

Non, répondit-il, il n'y a pas autre chose à considérer.

Que les autres citoyens soient lâches ou courageux, repris-je, il ne dépend pas d'eux, à mon avis, que l'État soit l'un ou l'autre.

Non en effet.

L'État est donc courageux par une partie de lui-même, parce que c'est en cette partie que réside le pouvoir de maintenir en tout temps l'opinion relative aux choses qui sont à craindre, **(429c)** choses qui doivent être les mêmes et de la même nature que celles que le législateur a indiquées dans son plan d'éducation. N'est-ce pas là ce que tu appelles le courage ?

Je n'ai pas bien saisi, dit-il, ce que tu viens de dire ; répète-le.

Je repris : je dis que le courage est une sorte de conservation.

Conservation de quoi ?

De l'opinion que la loi a créée par le moyen de l'éducation sur les choses qui sont à craindre et sur leur nature. J'ai ajouté que le courage la maintenait en tout temps, **(429d)** parce qu'en effet il la conserve dans le chagrin, dans le plaisir, dans le désir, dans la crainte, sans jamais la rejeter. Je vais, si tu veux, illustrer ma pensée par une comparaison.

Je veux bien.

Tu sais, dis-je, que les teinturiers, quand ils veulent teindre la laine en pourpre, choisissent d'abord dans le grand nombre des couleurs une couleur unique, la blanche ; ils préparent ensuite leur laine blanche avec un soin minutieux, afin qu'elle prenne tout l'éclat possible de la pourpre. **(429e)** C'est seulement alors qu'ils la teignent, et la teinture ainsi donnée devient indélébile ; aucun lavage, soit à l'eau simple, soit au savon, ne peut en enlever le brillant ; autrement, tu sais ce qui arrive, soit avec des laines d'autre couleur, soit même avec des laines blanches, mais qui n'ont pas au préalable subi cet apprêt.

Je sais, dit-il, qu'elles déteignent et font un effet ridicule.

Eh bien, dis-je, imagine-toi que nous faisions de notre mieux un travail analogue, en choisissant les soldats et en les élevant dans la musique et la gymnastique. **(430a)** Persuade-toi que la seule fin que nous poursuivions, c'est qu'ils consentissent à prendre la meilleure teinture des lois, afin que, grâce à la bonté de leur naturel et de l'éducation reçue, ils eussent une opinion indélébile et sur les choses à craindre et sur les autres, et que la teinture résistât à ces savons si actifs à emporter les couleurs, je veux dire le plaisir, plus efficace à cet effet que n'importe quel **natron**[34] ou lessive, et la douleur, **(430b)** et la crainte, et la passion, détergents supérieurs à tous les lavages. C'est cette force qui maintient en tout temps l'opinion juste et légitime sur ce qu'il faut craindre et ne pas craindre, que j'appelle et définis courage, à moins que tu n'aies quelque objection à faire.

Je n'en ai aucune, dit-il; je pense en effet que, si l'opinion juste qu'on a de ces mêmes choses n'est pas le fruit de l'éducation, par exemple l'opinion d'une bête ou d'un esclave, non seulement tu ne la juges pas bien durable, mais encore tu lui donnes un autre nom que celui de courage.

(430c) Ce que tu dis est parfaitement exact, répondis-je.

J'admets donc ta définition du courage.

Admets aussi, dis-je, que c'est une vertu politique, et tu ne te tromperas pas. Mais nous en parlerons mieux, si tu veux, une autre fois; car, pour le moment, ce n'est pas le courage que nous cherchons, c'est la justice. Sur la recherche du courage, en voilà, je crois, suffisamment.

C'est vrai, dit-il.

(430d) Il nous reste encore, repris-je, deux choses à découvrir dans la cité, la tempérance, et celle qui est l'objet de toute cette enquête, la justice.

Oui.

Par quel moyen pourrions-nous découvrir la justice? Nous n'aurions plus alors à nous occuper de la tempérance.

Pour ma part, dit-il, je n'en sais rien; cependant je ne désire pas que la justice nous apparaisse la première, si cela doit nous empêcher d'examiner la tempérance; mais si tu veux m'être agréable, examine celle-ci avant celle-là.

34. **Natron** Minéral comprenant du carbonate et du bicarbonate de sodium. Le natron était utilisé, notamment, pour le blanchiment du linge.

(430e) Sans doute, je le veux, dis-je ; j'aurais tort de te refuser.

Examine donc, dit-il.

C'est ce que je vais faire, répliquai-je. À première vue, elle ressemble plus à un accord et à une harmonie que les précédentes.

Comment ?

La tempérance, dis-je, est une sorte d'ordre et d'empire sur les plaisirs et les passions, s'il faut en croire l'expression populaire assez étrange, ma foi : « être maître de soi », et d'autres semblables qui sont comme des traces laissées par cette vertu. Qu'en penses-tu ?

C'est tout à fait cela, répliqua-t-il.

« Être maître de soi », n'est-ce pas une expression ridicule ? Car celui qui est maître de lui-même est aussi, n'est-ce pas, esclave de lui-même, et celui qui est esclave de lui-même est aussi son propre maître, **(431a)** puisque c'est au même homme que ces dénominations s'appliquent dans tous les cas.

Sans doute.

Mais, repris-je, il me semble que le sens de cette expression est qu'il y a dans l'âme même de l'homme deux parties, l'une meilleure, l'autre moins bonne. Quand la partie qui est naturellement la meilleure maintient la moins bonne sous son empire, on le marque par l'expression « être maître de soi », et c'est un éloge. Quand au contraire, par suite d'une mauvaise éducation ou de certaine fréquentation, la partie la meilleure, se trouvant plus faible, est vaincue par les forces de la mauvaise, alors on dit de l'homme qui est en cet état, **(431b)** et c'est un reproche et un blâme, qu'il est esclave de lui-même et intempérant.

Cette explication me semble juste, dit-il.

Maintenant, continuai-je, tourne les yeux vers notre nouvel État : tu y verras réalisé l'un des deux cas précédents ; tu reconnaîtras en effet qu'il a droit à ce titre de « maître de lui-même », puisque celui chez qui la partie la meilleure commande à la mauvaise doit être réputé tempérant et maître de lui-même.

Je regarde notre État, dit-il, et je vois que tu dis vrai.

(431c) Ce n'est pas cependant qu'on n'y trouve une multitude de passions, de plaisirs et de peines de toute espèce, surtout chez les enfants, les femmes, les serviteurs, et chez la plupart de ceux qu'on appelle des hommes libres, en dépit de leur peu de valeur.

C'est vrai.

Mais les désirs simples et modérés, qui, sensibles au raisonnement, se laissent guider par l'intelligence et l'opinion juste, tu ne les trouveras que dans un petit nombre de gens, ceux qui joignent au plus beau naturel la plus belle éducation.

C'est vrai, dit-il.

Ne retrouves-tu pas tout cela dans notre État, **(431d)** ne vois-tu pas que les passions de la multitude vicieuse y sont dominées par les passions et l'intelligence d'une minorité vertueuse ?

Je le vois, dit-il.

Si donc il faut jamais dire qu'un État est maître de ses plaisirs et de ses passions et de lui-même, c'est bien du nôtre qu'il faut le dire.

Assurément, fit-il.

Ne faut-il pas ajouter que par tous ces motifs il est tempérant ?

Si fait, dit-il.

Et si jamais dans un État gouvernants et gouvernés ont eu la même opinion sur ceux qui doivent commander, **(431e)** c'est encore dans le nôtre que se trouve cet accord. N'est-ce pas ton avis ?

Si, dit-il, complètement.

Dans lequel de ces deux groupes de citoyens diras-tu donc que réside la tempérance, quand ils sont ainsi d'accord ; est-ce dans les gouvernants ou dans les gouvernés ?

Dans les deux sans doute, dit-il.

Te rends-tu compte, repris-je, que nous avons été bons devins tout à l'heure, en assimilant la tempérance à une sorte d'harmonie ?

Pourquoi donc ?

Parce que, si le courage et la sagesse, **(432a)** qui ne résident que dans une partie de l'État, le rendent néanmoins, l'une sage, l'autre courageux, il n'en est pas ainsi de la tempérance : celle-ci s'étend absolument à toute la cité et produit l'accord parfait entre tous les citoyens, quelle que soit la classe, basse, haute ou moyenne, où les range, par exemple, leur intelligence, ou, si tu veux, leur force, ou leur nombre, leurs richesses ou quelque autre avantage du même genre ; en sorte que nous avons pleinement le droit de dire que la tempérance est ce concert, cet accord naturel de la partie inférieure et de la partie supérieure pour décider laquelle des deux doit commander et dans l'État et dans l'individu.

(432b) Je suis entièrement de ton avis, dit-il.

Bien, dis-je ; voilà trois sortes de qualités que nous avons reconnues dans l'État, si je ne m'abuse ; quant à la dernière, qui complète la vertu de l'État, que peut-elle être ? Il est évident que c'est la justice.

Évident.

LA DÉFINITION DE LA JUSTICE

(432c) Dès lors, Glaucon, c'est à présent que, chasseurs d'un nouveau genre, il nous faut cerner le buisson et faire attention que la justice ne nous échappe pas et ne se dérobe pas à nos yeux ; car il est manifeste qu'elle est quelque part ici. Regarde donc, et tâche de l'apercevoir ; peut-être pourras-tu la voir avant moi, et me la montrer.

Si je le pouvais seulement ! s'écria-t-il ; mais non ! te suivre et voir ce que tu montreras, c'est tout ce que je peux faire.

Prie les dieux avec moi, dis-je, et suis-moi.

C'est ce que je veux faire ; marche seulement le premier, dit-il.

Certes, repris-je, l'endroit paraît être fourré et peu praticable ; il est du moins obscur et difficile à explorer ; il faut avancer pourtant.

Il le faut, dit-il.

(432d) Et moi, après avoir regardé : Oh ! oh ! Glaucon, m'écriai-je ; il me semble que nous tenons la piste, et que la justice ne nous échappera pas.

Bonne nouvelle ! fit-il.

En vérité, repris-je, nous sommes bien sots.

Pourquoi ?

Il y a longtemps, heureux homme, qu'elle est là, qui semble se rouler devant nos pieds ; mais nous ne la voyions pas ; nous étions tout à fait ridicules, comme les gens qui cherchent parfois ce qu'ils ont dans la main. **(432e)** Nous ne regardions pas de son côté ; nous jetions les yeux au loin, et c'est pour cela sans doute qu'elle nous échappait.

Comment dis-tu ? demanda-t-il.

Je dis, repris-je, qu'il me semble que depuis longtemps nous nous entretenons de la justice, sans nous apercevoir que c'est d'elle que nous parlons en un certain sens.

Voilà, dit-il, un long préambule pour qui est impatient de t'entendre.

(433a) Eh bien, dis-je, écoute si j'ai raison, Ce que nous avons établi dès le début, quand nous jetions les fondements de notre État, comme un devoir universel, c'est ce devoir, si je ne me trompe, ou en tout cas quelque forme de ce devoir, qui est la justice. Or nous avons établi, n'est-ce pas, et nous avons répété plusieurs fois, si tu t'en souviens, que chaque individu ne doit exercer qu'un seul emploi dans la société, celui pour lequel la nature lui a donné le plus d'aptitude.

Nous l'avons dit en effet.

Et que la justice consiste à s'occuper de ses affaires, sans s'occuper de celles des autres, cela aussi nous l'avons entendu dire à beaucoup de gens, **(433b)** et nous l'avons dit souvent nous-mêmes.

C'est vrai, nous l'avons dit.

Ainsi donc, ami, repris-je, c'est cela, s'occuper de ses affaires, qui, pratiqué de la façon voulue, pourrait bien être la justice. Sais-tu sur quoi je fonde cette opinion ?

Non, apprends-le moi, dit-il.

Je crois, dis-je, que des trois vertus que nous avons examinées, tempérance, courage, sagesse, c'est ce qui leur a donné à toutes la puissance de naître, et les conserve une fois nées, tant qu'il demeure en elles. **(433c)** Or nous avons dit que la vertu qui resterait, quand nous aurions trouvé les trois autres, serait la justice.

En effet, c'est forcé, dit-il.

Mais, repris-je, s'il fallait décider laquelle de ces vertus contribuera le plus par sa présence à la perfection de notre cité, il serait difficile de dire si c'est la conformité d'opinion des gouvernants et des gouvernés, ou le maintien chez les soldats de l'idée légitime de ce qui est à craindre et de ce qui ne l'est pas, **(433d)** ou la prudence et la vigilance dans les chefs, ou si la cause la plus efficace de son excellence ne serait pas la présence de cette vertu par laquelle enfants, femmes, esclaves, hommes libres, artisans, gouvernants et gouvernés font respectivement leur besogne, sans se mêler de celle des autres.

Ce serait difficile à décider, dit-il, assurément.

Ainsi donc la force de remplir la tâche que la société impose à chaque individu rivalise, semble-t-il, avec la sagesse, la tempérance et le courage pour le perfectionnement de l'État ?

Certainement, dit-il.

(433e) Et cette force qui concourt avec le reste à la perfection de l'État, n'admets-tu pas que c'est la justice ?

Je l'admets absolument, dit-il.

Examine la question d'un autre point de vue, pour voir si tu seras du même avis. N'est-ce pas les chefs que tu chargeras dans notre cité de juger les procès ?

Sans doute.

Et dans leurs jugements, à quoi s'attacheront-ils de préférence, si ce n'est à empêcher les citoyens de s'emparer du bien d'autrui ou d'être dépouillés du leur ?

Ils n'auront pas d'autre but.

Parce que cela est juste ?

Oui.

C'est une raison de plus de convenir que la possession de son bien propre et l'accomplissement de sa propre tâche constituent la justice.

(434a) C'est exact.

Mais vois si tu seras du même avis que moi. Que le charpentier se mêle de faire le métier du cordonnier, ou le cordonnier celui du charpentier, ou qu'ils échangent leurs outils et leurs salaires, ou que le même homme se mette en tête de faire les deux métiers à la fois, qu'on échange ainsi tous les métiers, te paraît-il que la cité en souffrirait un grand dommage ?

Pas un très grand, répondit-il.

Mais je pense que si un artisan ou tout autre que la nature a destiné à une vie de lucre, enflé de sa richesse, **(434b)** du nombre de ses partisans, de sa force ou de tout autre avantage pareil, se mettait en tête d'entrer dans le corps des guerriers, ou un guerrier dans le corps délibérant qui veille sur l'État, en dépit de son incapacité, et s'ils échangeaient leurs instruments et leurs salaires, ou si le même homme entreprenait de remplir tous ces offices à la fois, je pense que tu jugerais alors avec moi que cet échange et cette confusion seraient la perte de la cité.

Absolument.

Ainsi donc l'empiétement sur les fonctions des autres et **(434c)** le mélange des trois classes causeraient à l'État le plus grand dommage, et l'on n'aurait pas tort d'y voir un véritable crime.

Certainement.

Or le plus grand crime envers l'État, ne l'appelleras-tu pas injustice ?

Il n'y a pas d'autre nom à lui donner.

Voilà donc ce que c'est que l'injustice. Mais inversement disons que, lorsque les trois ordres des mercenaires, des auxiliaires et des gardiens se renferment dans leurs attributions et que chacun d'eux fait dans l'État la tâche qui lui revient, c'est là le contraire de ce que nous disions tout à l'heure, c'est la justice et ce qui fait qu'un État est juste.

(434d) Il me semble, dit-il, qu'il n'en saurait être autrement.

LA JUSTICE CHEZ L'INDIVIDU

Ne l'affirmons pas encore, repris-je, avec pleine assurance. Mais transportons cette sorte de vertu dans l'individu : si elle se fait reconnaître là aussi comme étant la justice, nous n'aurons plus qu'à l'avouer pour telle ; car quelle objection pourrions-nous y faire encore ? Dans le cas contraire, nous tournerons nos recherches d'un autre côté. Pour le moment poussons à bout l'enquête que nous avons instituée, dans l'espoir qu'en essayant d'abord de considérer la justice dans un cadre plus vaste, **(434e)** il nous serait plus facile de reconnaître ce qu'elle est dans l'individu. Il nous a semblé que cet objet était un État et, en conséquence, nous en avons fondé un aussi parfait que possible, parce que nous savions bien que la justice se trouverait dans l'État bien organisé. Ce que nous y avons découvert, transportons-le à l'individu ; s'il y a parité, ce sera parfait ; si au contraire des divergences apparaissent dans l'individu, **(435a)** nous reviendrons à l'État, pour approfondir notre recherche ; et peut-être, en les confrontant et en les frottant pour ainsi dire, nous en ferons jaillir la justice, comme on fait jaillir du feu de deux bouts de bois, et, quand elle apparaîtra en pleine clarté, nous l'affermirons solidement en nous-mêmes.

C'est, dit-il, procéder avec méthode, et nous ne saurions mieux faire.

Eh bien, repris-je, lorsqu'on dit de deux choses, l'une plus grande, l'autre plus petite, qu'elles sont la même chose, sont-elles dissemblables par ce qui fait dire d'elles qu'elles sont la même chose, ou sont-elles semblables par là ?

Elles sont semblables, dit-il.

(435b) Ainsi un homme juste ne différera nullement d'un État juste en ce qui regarde la qualité même de la justice, mais il lui sera semblable.

Il lui sera semblable, dit-il.

Or il nous a paru qu'un État était juste, quand les trois classes d'esprits qui le composent faisaient chacune ce qu'elle avait à faire, que d'autre part il était tempérant, courageux et sage, grâce à certaines dispositions et qualités correspondantes de ces mêmes classes.

C'est vrai.

Si donc, ami, nous trouvons dans l'âme de l'individu aussi ces mêmes genres de qualités, **(435c)** nous jugerons qu'il mérite les mêmes noms que l'État, puisqu'il a les mêmes dispositions.

C'est de toute nécessité, dit-il.

Nous voilà ramenés, mon admirable ami, repris-je, à la facile question de savoir si l'âme a en elle ces trois sortes de qualités, ou si elle ne les a pas.

Facile ! Elle ne me le paraît guère à moi, dit-il, et je crois bien, Socrate, que le proverbe a raison, que les belles choses sont difficiles.

(435d) Évidemment, répliquai-je, et si tu veux savoir ma pensée, Glaucon, j'ai peur qu'avec une méthode comme celle que nous suivons à présent dans notre discussion, nous n'arrivions pas à une démonstration rigoureuse ; la route qui nous mènerait au but est plus longue et plus compliquée ; cependant notre méthode ne messied peut-être pas aux débats et aux recherches que nous avons poursuivis jusqu'ici.

N'est-ce pas suffisant ? dit-il ; quant à moi, je m'en contenterais pour le moment.

Eh bien! repartis-je, elle me suffira pleinement à moi aussi.

Ne te rebute donc pas, dit-il ; poursuis ta recherche.

(435e) Ne sommes-nous pas, repris-je, absolument forcés de convenir que chacun de nous porte en lui les mêmes espèces de caractères et les mêmes mœurs que l'État, car elles n'y peuvent venir que de nous ? Il serait en effet ridicule de prétendre que le caractère emporté qu'on voit dans les États réputés pour leur violence, comme ceux des **Thraces**, des **Scythes**[35] et en général des peuples du Nord, ou la passion de la science, **(436a)** qu'on peut dire propre à notre pays, ou l'avidité du gain, qu'on peut regarder comme la marque particulière des **Phéniciens**[36] et des habitants de l'Égypte, n'aient point passé de l'individu dans l'État.

35. **Thraces, Scythes** Peuples situés au nord de la Grèce.
36. **Phéniciens** Peuple marchand de la côte est de la Méditerranée (Liban actuel).

Assurément, dit-il.

C'est une conclusion qui s'impose, dis-je : il n'est pas difficile de le reconnaître.

Non, certes.

Mais ce qui est difficile, c'est de décider si tous nos actes sont produits par le même principe, ou s'il y a trois principes chargés chacun de leur fonction respective, c'est-à-dire si l'un de ces principes qui sont en nous fait que nous apprenons, un autre que nous nous mettons en colère, **(436b)** un troisième que nous recherchons le plaisir de manger, d'engendrer et les autres jouissances du même genre, ou si c'est par l'âme entière que nous produisons chacun des actes où nous nous portons. Voilà ce qu'il sera malaisé de déterminer d'une manière satisfaisante.

C'est aussi mon avis, dit-il.

Essayons de déterminer par cette voie si ces principes se ramènent à un seul ou s'ils sont distincts.

Par quelle voie ?

Il est évident que le même sujet ne peut pas en même temps faire et souffrir des choses contraires dans la même partie de lui-même et relativement au même objet ; de sorte que, si nous découvrons ici des effets contraires, **(436c)** nous saurons qu'ils ne relèvent pas d'un principe unique, mais de plusieurs.

Fort bien.

Examine ce que je vais dire.

Parle, dit-il.

Est-il possible, repris-je, que la même chose soit en repos et en mouvement en même temps dans la même partie d'elle-même ?

Nullement.

Mettons-nous encore plus rigoureusement d'accord, de peur qu'en avançant nous ne tombions en contestation. Si en effet on nous disait qu'un homme en repos, mais qui remue les mains et la tête, est à la foi en repos et en mouvement, nous estimerions, je pense, qu'on aurait tort de parler ainsi, **(436d)** et nous dirions qu'une partie de l'homme est en repos, et l'autre en mouvement, n'est-ce pas ?

Oui.

Et si, poussant plus loin le badinage, notre subtil interlocuteur soutenait que les toupies sont tout entières et dans le même temps en repos et en mouvement, quand, leur centre restant fixe, elles tournent sur elles-mêmes, et qu'il en est de même de tout autre objet qui tourne sur lui-même sans bouger de place, nous rejetterions ce raisonnement, puisque ce n'est pas dans les mêmes parties d'elles-mêmes qu'elles sont ainsi en repos et en mouvement ; **(436e)** mais nous dirions qu'il faut distinguer en elles l'axe et la circonférence ; qu'elles sont immobiles relativement à l'axe qui n'incline d'aucun côté, mais que relativement à la circonférence elles se meuvent d'un mouvement circulaire ; et que, si l'axe penchait à droite ou à gauche, en avant ou en arrière, tandis que l'objet tourne, alors il ne serait plus en repos d'aucune part.

Et notre réponse serait juste, dit-il.

On aura donc beau soulever des difficultés de ce genre : on ne nous déconcertera pas, et nous n'en croirons pas davantage que la même chose puisse en même temps, **(437a)** dans la même partie d'elle-même et relativement au même objet, supporter, être et faire des choses contraires.

Du moins ne sera-ce pas moi, dit-il.

Cependant, repris-je, pour ne pas être obligés de nous étendre en relevant toutes ces objections pour en établir la fausseté, admettons comme vrai ce principe et allons de l'avant. Convenons seulement que si dans la suite il nous apparaît erroné, toutes les conclusions que nous en aurons tirées seront nulles.

C'est ce que nous avons de mieux à faire, dit-il.

(437b) Je repris alors : Faire signe que oui et faire signe que non, désirer un objet et le refuser, l'attirer à soi et le repousser, toutes les choses de ce genre ne doivent-elles pas être considérées comme contraires l'une à l'autre, actions ou passions, peu importe ?

Oui, dit-il, ce sont des choses contraires.

Je poursuivis : Et la faim et la soif, et les appétits en général, et de même la volonté et le désir, tout cela ne rentre-t-il pas, à ton avis, dans les genres dont nous venons de parler ? **(437c)** Par exemple, chaque fois qu'un homme désire, ne diras-tu pas que son âme tend à ce qu'elle désire, ou qu'elle attire à elle ce qu'elle voudrait avoir, ou qu'en tant qu'elle veut qu'une chose lui soit procurée, elle se fait à elle-même un signe d'acquiescement, comme si elle répondait à quelqu'un qui l'interrogerait, impatiente qu'elle est de voir son désir réalisé ?

Si fait.

Et ne pas vouloir, ne pas souhaiter, ne pas désirer, n'est-ce pas la même chose qu'écarter et repousser loin de soi et ne faut-il pas ranger cela dans le genre contraire au précédent ?

(437d) Sans contredit.

Ceci posé, n'admettrons-nous pas qu'il y a une espèce particulière de désirs, et que les plus manifestes de cette espèce sont ce que nous appelons la faim et la soif ?

Nous l'admettrons, dit-il.

L'une n'est-elle pas le désir de boire, l'autre de manger ?

Si.

Or la soif, en tant que soif, est-elle dans l'âme un désir d'autre chose encore que ce que je viens de dire ? Par exemple la soif est-elle soif d'une boisson chaude ou froide, abondante ou modique, en un mot d'une boisson déterminée ? **(437e)** Ou plutôt, si l'échauffement se joint à la soif, n'y ajoutera-t-il pas le désir de la fraîcheur, et si c'est le froid, le désir de la chaleur ? Et si en raison de sa violence la soif est grande, elle fera naître le désir de boire beaucoup ; si elle est petite, de boire peu. Mais pour la soif prise en soi, elle ne saurait être le désir d'autre chose que de son objet naturel, la boisson en soi, comme la faim n'est autre chose que le désir du manger.

C'est vrai, dit-il ; chaque désir pris en lui-même ne convoite que son objet naturel pris en lui-même ; le désir de telle chose déterminée relève des accidents qui s'y ajoutent.

(438a) Ne nous laissons pas surprendre, repris-je, ni déconcerter par l'objection qu'on ne désire pas la boisson, mais une bonne boisson, ni le manger, mais un bon manger, attendu qu'on désire naturellement les bonnes choses, que par conséquent, si la soif est un désir, c'est le désir de quelque chose de bon, quel que soit son objet, soit la boisson, soit autre chose ; et il en est ainsi des autres désirs.

On pourrait trouver, fit-il, que l'objection n'est pas sans force.

(438b) En tout cas, repris-je, toutes les choses qui par leur nature ont rapport à une autre, si elles sont d'une espèce déterminée, ont rapport à un objet déterminé, ce me semble ; mais les mêmes choses prises en soi n'ont rapport chacune qu'à son objet pris en soi.

Je n'ai pas compris, dit-il.

Tu n'as pas compris, repris-je, qu'une chose plus grande n'est telle que par rapport à une autre ?

C'est vrai.

À une autre plus petite, n'est-ce pas?

Oui.

Et qu'une chose beaucoup plus grande n'est telle que par rapport à une chose beaucoup plus petite? L'admets-tu?

Oui.

Et que ce qui a été plus grand l'a été par rapport à une chose qui a été plus petite, et que ce qui sera plus grand le sera par rapport à une chose qui sera plus petite?

Je n'en fais aucun doute, dit-il.

(438c) Et que le plus a rapport au moins, le double à la moitié, et ainsi de toutes les choses de ce genre; que d'autre part le plus pesant a rapport au plus léger, le plus rapide au plus lent, et de même le chaud au froid, et qu'il en est de même de toutes les choses du même genre?

C'est vrai.

Et pour ce qui regarde les sciences, n'est-ce pas la même chose? La science en soi est la possession de la connaissance en soi ou de l'objet, quel qu'il soit, qu'il faut assigner à la science; mais une science particulière et déterminée a un objet particulier et déterminé. **(438d)** Voici ce que je veux dire: quand on eut inventé la science de bâtir les maisons, ne se distingua-t-elle pas des autres, au point qu'on lui donna le nom d'architecture?

Sans doute.

N'est-ce point parce qu'elle était d'une espèce particulière, différente de toutes les autres?

Si.

Et n'est-ce pas parce qu'elle était la science d'un objet déterminé qu'elle aussi devint une science déterminée? Et n'en faut-il pas dire autant des autres arts et des autres sciences?

C'est bien ce qu'il faut dire.

À présent, repris-je, tu vois, si tu m'as bien compris, ce que je voulais dire tout à l'heure: c'est que toutes les choses qui par leur nature sont relatives à un objet, envisagées seules et en elles-mêmes, ne se rapportent qu'à elles-mêmes; **(438e)** au contraire envisagées dans leurs rapports à des objets déterminés, elles deviennent des choses déterminées. Je ne veux pas dire par là qu'elles soient telles que les objets auxquels elles se rapportent, que par exemple la science des choses utiles ou nuisibles à la santé soit saine ou malsaine, et celle des maux et des biens, mauvaise ou bonne ; je prétends seulement que, puisque la science médicale n'a pas le même objet que la science en soi, et qu'elle s'est donné un objet particulier, qui est la santé et la maladie, elle est devenue, par là, elle aussi une science déterminée, et c'est ce qui lui a fait donner non plus le simple nom de science, mais, en vertu de l'objet spécial qui s'y ajoute, celui de science médicale.

Je comprends, dit-il, et je crois que tu as raison.

(439a) Revenons, dis-je, à la soif. Considérant sa nature, ne la mets-tu pas au nombre de ces choses qui se rapportent à un objet ? Car il y a bien, n'est-ce pas, une soif de quelque chose ?

Oui, dit-il, de la boisson.

Or s'il y a des boissons de telle ou telle espèce, il y aussi une soif de telle ou telle espèce ? La soif en soi au contraire n'est pas la soif d'une boisson abondante ou modique, bonne ou mauvaise, en un mot d'une boisson déterminée ; la soif seule et en soi n'a d'autre objet que la boisson en soi.

C'est tout à fait juste.

Par conséquent l'âme d'un homme qui a soif ne désire pas, en tant qu'il a soif, **(439b)** autre chose que de boire : c'est à cela qu'elle tend, à cela qu'elle se porte.

C'est évident.

Donc, s'il arrive que quelque chose retienne l'âme qui a soif, c'est qu'il y a en elle un autre principe que celui-là même qui a soif et qui l'entraîne comme une brute vers le boire ; car il n'est pas possible, nous l'avons reconnu, que le même principe produise par la même partie de lui-même relativement au même objet des effets contraires.

Ce n'est pas possible en effet.

De même, à mon avis, on a tort de dire de l'archer que ses mains repoussent et attirent l'arc en même temps ; la vérité c'est que l'une repousse et que l'autre attire.

(439c) Assurément, dit-il.

N'est-il pas vrai qu'il y a parfois des gens qui ont soif et qui ne veulent pas boire ?

Oui, dit-il : on en voit beaucoup et souvent.

Que faut-il penser de ces gens-là, continuai-je, sinon qu'il y a dans leur âme un principe qui leur ordonne de boire, et un autre qui les en empêche, principe qui diffère du premier et qui l'emporte sur lui ?

C'est ce que je crois, dit-il.

Est-ce que le principe qui fait de telles défenses, **(439d)** quand il se rencontre dans l'âme, ne vient pas de la raison, tandis que les impulsions et les entraînements ont pour cause les affections et les maladies ?

Il semble.

Nous aurions donc, repris-je, raison de penser que ce sont deux principes distincts l'un de l'autre ; l'un, celui par lequel l'âme raisonne, que nous appelons raison ; l'autre, celui par lequel elle aime, a faim et soif et devient la proie de toutes les passions, que nous appelons déraison et concupiscence et qui est l'ami d'un certain genre de rassasiements et de plaisirs.

(439e) Oui, dit-il, il est naturel d'en juger ainsi.

Tenons donc pour certain, repris-je, que ces deux principes sont dans notre âme. Et maintenant, dans la colère et la partie colérique de notre âme, reconnaîtrons-nous un troisième principe ? Sinon, duquel des deux sa nature la rapproche-t-elle ?

Peut-être du second, dit-il, du concupiscible.

C'est ce que je crois, dis-je, sur la foi d'une anecdote que j'ai entendue un jour. La voici : **Léontios**[37], fils d'Aglaïon, remontant du Pirée, et longeant l'extérieur du mur septentrional, s'étant aperçu qu'il y avait des cadavres étendus dans le lieu des supplices, sentit à la fois le désir de les voir et un mouvement de répugnance qui l'en détournait. **(440a)** Pendant quelques instants il lutta contre lui-même et se couvrit le visage ; mais à la fin, vaincu par le désir, il ouvrit les yeux tout grands et courant vers les morts, il s'écria : « Tenez, malheureux, jouissez de ce beau spectacle. »

Je l'ai entendu conter, moi aussi, dit-il.

Cette anecdote, repris-je, montre que la colère est parfois en guerre avec le désir et qu'ils diffèrent l'un de l'autre.

En effet, dit-il.

Ne remarquons-nous pas de même en mainte occasion, dis-je, que, lorsqu'un homme est entraîné par ses passions malgré la raison, **(440b)** il se gourmande lui-même, se met en colère contre cette partie de lui-même qui lui fait violence et que, dans cette sorte de duel, la colère se range dans un tel homme du côté de la raison ? Mais que la colère s'as-

37. **Léontios** Personne qui nous est inconnue.

sociant aux passions, quand la raison décide qu'il ne faut pas le faire, lui oppose de la résistance, je ne pense pas que tu puisses dire avoir observé pareille chose ni chez toi, ni chez quelque autre.

Non, par Zeus, dit-il.

(440c) Ainsi, repris-je, quand un homme est persuadé qu'il a tort, n'est-il pas vrai que, plus il est généreux, moins il peut se fâcher des tourments de la faim et du froid ou de tout autre mauvais traitement, quand il n'y voit que de justes représailles de l'offensé, et que, comme je le disais, sa colère ne saurait s'élever contre lui ?

C'est la vérité, dit-il.

Et au contraire s'il se croit victime d'une injustice, n'est-il pas vrai qu'il en bout de colère, qu'il s'indigne et combat pour ce qui lui paraît être la justice, **(440d)** qu'il endure avec constance la faim, le froid et autres traitements du même genre jusqu'à ce qu'il ait triomphé, et qu'il ne cesse pas ses généreux efforts avant d'avoir obtenu satisfaction, ou d'avoir trouvé la mort, ou d'être apaisé par la raison, qui le rappelle à elle comme le berger rappelle son chien ?

Ta comparaison, dit-il, est fort juste ; elle l'est d'autant plus que nous avons établi que les auxiliaires seraient soumis comme des chiens aux magistrats qui sont les bergers de la cité.

Tu saisis admirablement ma pensée, dis-je ; mais considère encore ceci.

(440e) Quoi ?

C'est qu'il est visible que la colère est le contraire de ce qu'elle nous paraissait être tout à l'heure. Nous la prenions en effet pour une variété du désir ; maintenant nous sommes bien éloignés de le dire ; nous dirions plutôt que, quand il s'élève une sédition dans l'âme, elle prend les armes en faveur de la raison.

C'est très exact.

Est-elle différente de la raison aussi, ou n'en est-elle qu'une variété, en sorte qu'il y aurait dans l'âme, non pas trois parties, mais deux, la raison et le désir ; ou bien, de même que l'État est composé de trois ordres, des mercenaires, **(441a)** des guerriers et des magistrats, y a-t-il aussi dans l'âme une troisième partie, qui est la colère, laquelle soutient naturellement la raison, quand elle n'a pas été gâtée par une mauvaise éducation ?

La colère, dit-il, est forcément cette troisième partie.

Oui, dis-je, s'il nous apparaît que la colère est distincte de la raison, comme il nous est apparu qu'elle était distincte du désir.

Il n'est pas difficile de s'en assurer, dit-il ; car c'est une chose qu'on peut voir même dans les petits enfants : dès leur naissance ils sont pleins de colère, **(441b)** tandis que la raison me semble refusée à jamais à quelques-uns et qu'elle se fait attendre chez le plus grand nombre.

Par Zeus ! m'écriai-je, c'est fort bien dit. On peut ajouter que les bêtes justifient ton observation, et l'on peut encore la renforcer du témoignage d'Homère que j'ai invoqué plus haut dans cet entretien :

« *Ulysse se frappant la poitrine gourmanda son cœur en ces termes*[38]. »

Car dans ce passage Homère a manifestement représenté, comme deux choses différentes dont l'une gourmande l'autre, **(441c)** la raison qui a réfléchi sur le meilleur et le pire, et la colère qui est déraisonnable.

C'est bien cela, dit-il.

Nous venons de doubler le cap, non sans peine, dis-je, et nous voilà suffisamment d'accord sur ce point qu'il y a dans l'âme de l'individu les mêmes parties et en même nombre que dans l'État.

Cela est vrai.

N'est-ce pas dès lors une nécessité que, si l'État est sage, l'individu le soit de la même manière et par la même cause ?

Sans doute.

(441d) Et si l'individu est brave, que l'État le soit de la même manière et par la même cause, et qu'en tout ce qui regarde la vertu il en soit de même pour les deux ?

C'est forcé.

Nous dirons donc aussi, je pense, Glaucon, qu'un homme est juste de la même manière que l'État est juste.

C'est une conclusion qui est aussi de toute nécessité.

Mais nous n'avons pas oublié que l'État est juste par le fait que chacun des trois ordres qui le composent remplit sa fonction.

Je ne pense pas, dit-il, que nous l'ayons oublié.

Il faut donc nous souvenir que, lorsque chacune des parties qui sont en nous remplira sa fonction, **(441e)** alors nous serons justes et nous remplirons notre devoir.

Oui, dit-il, il faut nous en souvenir.

N'appartient-il pas à la raison de commander, puisqu'elle est sage et

38. Homère, *Odyssée* XX, 16.

qu'elle est chargée de veiller sur l'âme tout entière, et à la colère de lui obéir et de la seconder ?

Si.

Et n'est-ce pas, comme nous le disions, le mélange de la musique et de la gymnastique qui met l'accord entre elles, en tendant l'une et en la nourrissant de beaux discours et de beaux enseignements, **(442a)** en détendant, en apaisant, en adoucissant l'autre par l'harmonie et le rythme ?

Assurément, dit-il.

Et ces deux parties, ainsi élevées et vraiment instruites et entraînées à faire leur devoir, gouverneront celle du désir, qui tient la plus grande place dans notre âme et qui est naturellement insatiable de richesses ; elles veilleront sur elle, de peur qu'en se gorgeant de ce qu'on appelle les plaisirs corporels, elle ne grandisse et ne prenne de la force, et refuse de continuer sa tâche, **(442b)** pour essayer d'asservir et de gouverner, quoiqu'elle en soit naturellement indigne, et pour bouleverser toute la vie du corps social.

Assurément, dit-il.

Et, repris-je, à l'égard aussi des ennemis du dehors, est-ce que ces deux parties ne sont pas les plus propres à veiller au salut de l'âme tout entière et du corps, l'une en délibérant, l'autre en faisant la guerre, en obéissant au chef et en exécutant par son courage les décisions de la première ?

Tu as raison.

C'est, je pense, cette dernière qui vaut à l'individu le nom de courageux, **(442c)** quand la colère qui est en lui le maintient à travers les peines et les plaisirs soumis aux préceptes de la raison sur ce qui est ou n'est pas à craindre.

C'est juste, dit-il.

Et il est sage par cette petite partie qui a commandé en lui et donné ces préceptes dont je viens de parler, et qui possède d'autre part la science de ce qui est utile à chaque partie et à la communauté qu'elles forment à elles trois.

C'est bien cela.

Et n'est-il pas tempérant par l'amitié et l'harmonie de ces mêmes parties, **(442d)** quand celle qui commande et celles qui obéissent sont d'accord pour reconnaître que c'est à la raison à commander, et qu'elles ne lui disputent point l'autorité ?

À coup sûr, dit-il, la tempérance n'est pas autre chose que cela, soit dans l'État, soit dans l'individu.

Enfin il sera juste par la raison et de la manière que nous avons plusieurs fois exposée.

Forcément.

Eh bien, repris-je, y a-t-il encore quelque chose qui nous voile la justice et la fasse paraître différente de ce qu'elle s'est montrée dans l'État ?

Je ne le pense pas, dit-il.

Nous avons un moyen d'établir solidement qu'elle est la même que dans l'État, **(442e)** s'il reste quelque doute en notre âme : un exemple banal y suffira.

Lequel ?

Supposons à propos de notre État et de l'individu formé sur son modèle par la nature et par l'éducation, que nous ayons à nous mettre d'accord sur cette question : est-il possible qu'un tel homme détourne un dépôt d'or ou d'argent qu'il aurait reçu ? **(443a)** Qui, selon toi, lui attribuerait un tel acte ? Qui ne l'attribuerait plutôt à ceux qui ne lui ressemblent pas ?

Personne, dit-il.

Ne sera-t-il pas également incapable de piller les temples, de voler, de trahir, soit ses camarades dans la vie privée, soit l'État dans la vie publique ?

Il en sera incapable.

Il ne sera non plus en aucune manière infidèle à ses serments et à tous ses autres engagements.

Comment le pourrait-il être ?

Quant à commettre l'adultère, à négliger ses parents, à oublier les dieux, ce sont des vices qui conviennent à tout autre plutôt qu'à lui.

À tout autre certainement, dit-il.

(443b) Et la cause de tout cela, n'est-ce pas que chacune des parties qui sont en lui fait ce qu'elle doit faire, qu'il s'agisse de commander ou d'obéir ?

C'est cela, et pas autre chose.

Doutes-tu encore que la justice soit autre chose que cette puissance qui rend tels et les hommes et les États ?

Non par Zeus ! dit-il, je n'en doute pas.

Voilà donc parfaitement réalisé le rêve qui nous faisait entrevoir, disions-nous, que, dès la première ébauche de notre cité, **(443c)** un dieu pourrait bien nous faire rencontrer le principe et comme un modèle de la justice.

C'est vrai.

Nous avions donc, Glaucon, une image de la justice, image qui nous a aidés à découvrir l'original, dans cet excellent règlement qui enjoignait à l'homme né pour être cordonnier de faire des chaussures, et rien d'autre, à l'homme né pour être charpentier de faire des charpentes, et ainsi des autres artisans.

Évidemment.

En fait la justice était, ce me semble, quelque chose de semblable, **(443d)** à cela près qu'elle ne s'applique pas aux actions extérieures de l'homme, mais à l'action intérieure, celle qui le concerne véritablement lui-même et les principes qui le composent, qui fait que l'homme juste ne permet pas qu'aucune partie de lui-même fasse rien qui lui soit étranger, ni que les trois principes de son âme empiètent sur leurs fonctions respectives, qu'il établit au contraire un ordre véritable dans son intérieur, qu'il se commande lui-même, qu'il se discipline, qu'il devient ami de lui-même, qu'il harmonise les trois parties de son âme absolument comme les trois termes de l'échelle musicale, **(443e)** le plus élevé, le plus bas, le moyen, et tous les tons intermédiaires qui peuvent exister, qu'il lie ensemble tous ces éléments et devient un de multiple qu'il était, qu'il est tempérant et plein d'harmonie, et que dès lors dans tout ce qu'il entreprend, soit qu'il travaille à s'enrichir, soit qu'il soigne son corps, soit qu'il s'occupe de politique, soit qu'il traite avec des particuliers, il juge toujours et nomme juste et belle l'action qui maintient et contribue à réaliser cet état d'âme et qu'il tient pour sagesse la science qui inspire cette action ; **(444a)** qu'au contraire il appelle injuste l'action qui détruit cet état, et ignorance l'opinion qui inspire cette action.

Socrate, dit-il, rien n'est plus vrai que ce que tu dis.

Bref, repris-je, si nous affirmions que nous avons trouvé l'homme juste, l'État juste, et ce qu'est la justice en l'un et en l'autre, on ne pourrait pas dire, je crois, que nous sommes loin de la vérité.

Non, par Zeus, dit-il.

L'affirmerons-nous ?

Affirmons-le.

Voilà qui est réglé, dis-je ; après cela, il nous reste, je crois, à examiner l'injustice.

Évidemment.

(444b) N'est-elle pas nécessairement un désaccord de ces trois parties, une ingérence indiscrète, un empiétement des unes sur les fonctions des autres, et la révolte de certaine partie contre le tout, avec la prétention de commander dans l'âme, en dépit de toute convenance, la nature l'ayant faite pour obéir à la partie née pour commander ? C'est en cela, je crois, c'est dans le désordre et la confusion de ces parties que consistent à nos yeux l'injustice, l'intempérance, la lâcheté, l'ignorance, en un mot, tous les vices.

(444c) Tout cela en effet, c'est la même chose, dit-il.

Dès lors, repris-je, la nature des actions justes et de la justice, celle des actions injustes d'autre part n'apparaît-elle pas dans une clarté parfaite, s'il est vrai que nous connaissons la nature de l'injustice et de la justice ?

Comment cela ?

C'est que, repris-je, elles sont exactement semblables aux choses saines et aux choses malsaines et qu'elles sont dans l'âme ce que celles-ci sont dans le corps.

Comment ? demanda-t-il.

Les choses saines engendrent la santé, les malsaines, la maladie.

Oui.

(444d) De même les actions justes engendrent la justice, les actions injustes, l'injustice.

C'est forcé.

Engendrer la santé, c'est établir entre les éléments du corps une hiérarchie qui les subordonne les uns aux autres conformément à la nature ; au contraire engendrer la maladie, c'est établir une hiérarchie qui les subordonne les uns aux autres contrairement à l'ordre naturel.

En effet.

De même, repris-je, engendrer la justice, c'est établir entre les parties de l'âme une hiérarchie qui les subordonne les unes aux autres conformément à la nature ; au contraire engendrer l'injustice, c'est établir une hiérarchie qui les subordonne les unes aux autres contrairement à l'ordre naturel.

C'est exactement cela, dit-il.

La vertu est donc, en quelque sorte, semble-t-il, la santé, **(444e)** la beauté, le bon état de l'âme, et le vice en est la maladie, la laideur et la faiblesse.

C'est vrai.

Or les occupations honnêtes ne contribuent-elles pas à faire naître la vertu, et les malhonnêtes, le vice ?

Forcément.

(445a) Il nous reste maintenant, ce semble, à examiner s'il est utile d'agir selon la justice, de pratiquer l'honnêteté et d'être juste, que l'on soit ou non connu pour tel, ou de commettre des injustices et d'être injuste, en échappant à la punition et à la nécessité de s'amender par le châtiment.

Mais, Socrate, dit-il, il me paraît ridicule de s'arrêter à présent à cet examen, Si en effet, quand la constitution du corps est ruinée, la vie devient insupportable, même lorsqu'on peut goûter tous les mets et toutes les boissons et tous les avantages d'une opulence et d'un pouvoir sans bornes, comment serait-il possible qu'elle devînt supportable, **(445b)** quand la nature du principe même de la vie est troublée et corrompue, eût-on d'ailleurs le pouvoir de tout faire, sauf ce qui peut nous délivrer du vice et de l'injustice et nous procurer la justice et la vertu ? Et la preuve en est faite par ce que nous avons exposé de la nature de la justice et de l'injustice.

C'est ridicule en effet, répondis-je ; cependant, puisque nous sommes arrivés au point de voir dans la dernière évidence que telle est la vérité, il ne faut point nous décourager.

Non, par Zeus, il ne le faut pas le moins du monde, dit-il.

(445c) Approche maintenant, continuai-je, que je te fasse voir combien il y a, selon moi, de formes de vices, du moins de formes qui méritent d'être observées.

Je te suis, dit-il ; tu n'as qu'à parler.

Eh bien, repris-je, du point de vue élevé où nous a portés la discussion, j'aperçois une seule forme de vertu, mais d'innombrables formes de vice, dont quatre méritent de nous arrêter.

Que veux-tu dire ? demanda-t-il.

Autant, dis-je, il y a de formes de gouvernement de genre distinct, autant il y a, selon toute apparence, de formes d'âme.

Combien y en a-t-il ?

(445d) Il y a, répondis-je, cinq formes de gouvernement, et cinq formes d'âme.

Nomme-les, dit-il.

Je dis, repris-je, que la forme de gouvernement que nous venons de tracer en est une, mais qu'on pourrait lui donner deux noms : quand l'un des gouvernants a autorité sur les autres, on appelle le gouvernement monarchie, et si l'autorité est partagée entre plusieurs, aristocratie.

C'est vrai, dit-il.

Je dis donc, repris-je, que ces deux formes n'en font qu'une ; car, qu'il y ait plusieurs chefs ou qu'il n'y en ait qu'un, **(445e)** ils ne changeront rien aux lois fondamentales de l'État, s'ils ont reçu l'éducation et l'instruction que nous avons décrites.

Il n'y a pas apparence, dit-il.

§ 3. LE PHILOSOPHE ET LA CONTEMPLATION DU BIEN – L'ÉDUCATION DU PHILOSOPHE

Après avoir défini la justice dans la section précédente, Socrate explique avec plus de détails l'organisation de sa cité, particulièrement sur le mode de vie des gardiens. Ces mesures sont radicales pour l'époque. La réalisation de la cité juste se fonde sur trois caractéristiques centrales : d'abord l'égalité des hommes et des femmes (ce qui ne nie pas la différence de genre, mais qui implique néanmoins une division des tâches) ; ensuite la mise en commun des femmes et des enfants ; et finalement, la direction de la cité par des philosophes. Cette dernière caractéristique est capitale : seul le philosophe peut effectivement gouverner, car il est le seul à pouvoir contempler la vérité. L'extrait qui suit montre comment le philosophe accède à cette vérité dans la contemplation du Bien.

LA FORMATION DES GARDIENS

[*Dialogue entre Socrate et Glaucon*]

(502c) Puisque nous sommes arrivés, non sans peine, au terme de cette discussion, abordons ce qui nous reste à traiter, **(502d)** c'est-à-dire de quelle manière et à l'aide de quelles sciences et de quels exercices se formeront les conservateurs de la constitution et à quel âge ils s'appliqueront à chaque étude.

Abordons, dit-il.

C'est en vain, repris-je, que j'ai usé d'adresse en passant sous silence précédemment l'épineuse question de la possession des femmes, de la procréation des enfants et de l'établissement des magistrats, sachant combien la vérité complète soulèverait de protestations et serait difficile à mettre en pratique ; **(502e)** car à présent la nécessité d'en parler n'en est pas moins venue. Il est vrai que nous avons épuisé la question des femmes et des enfants ; mais il faut reprendre celle des magistrats pour ainsi dire par le début. Nous avons dit, **(503a)** si tu t'en souviens, qu'ils devaient faire éclater leur amour de la patrie dans l'épreuve du plaisir et de la douleur, et ne jamais se laisser surprendre à répudier ce principe ni dans les travaux, ni dans les périls, ni dans aucun changement de position ; qu'il fallait exclure celui qui succomberait à ces épreuves, mais établir comme magistrat celui qui en serait toujours sorti pur comme l'or éprouvé dans le feu, et lui donner des privilèges et des récompenses de son vivant et après sa mort. Voilà à peu près ce que j'ai dit, **(503b)** en biaisant et enveloppant mes termes, dans la crainte de soulever la discussion présente.

Tu dis vrai, dit-il, je m'en souviens.

J'hésitais en effet, mon ami, à faire l'audacieuse déclaration que je viens de faire ; mais à présent ratifions notre audace et disons que les gardiens parfaits ne pourront être que des philosophes.

Osons le dire, fit-il.

Remarque combien vraisemblablement le nombre en sera petit ; car étant donné le naturel que nous exigeons des philosophes, les qualités qui le composent naissent rarement ensemble sur le même tronc ; elles poussent ordinairement sur des troncs séparés.

(503c) Comment l'entends-tu ? demanda-t-il.

Ceux qui ont de la facilité à apprendre, de la mémoire, de la sagacité, de la vivacité et toutes les qualités analogues n'y joignent pas d'habitude, tu le sais, la force et la grandeur d'âme qui les rendraient capables de mener une vie réglée, calme et constante, mais ils sont emportés au hasard par leur vivacité et perdent toute stabilité.

C'est vrai, dit-il.

D'un autre côté, ces caractères solides et inébranlables, **(503d)** sur lesquels on peut compter davantage, qui à la guerre sont peu sensibles à la crainte, se comportent de même à l'égard des études ; ils sont lourds et lents à apprendre ; on les dirait engourdis ; ils ne font que dormir et bâiller, quand ils se trouvent en présence d'un travail intellectuel.

C'est bien cela, fit-il.

Or nous avons dit, nous, que nos magistrats devaient être avantageusement partagés des deux côtés, que sans cela il ne fallait pas les faire participer à l'éducation complète, ni les élever aux honneurs et au commandement.

Et nous avons eu raison, dit-il.

Ne crois-tu pas qu'un tel assemblage d'aptitudes sera chose rare ?

Comment pourrait-il en être autrement ?

(503e) Il faut donc les soumettre d'abord aux épreuves que nous avons énumérées tout à l'heure, travaux, périls, plaisirs ; il faut en outre, prescription que j'avais omise alors, que j'ajoute à présent, il faut les exercer dans un grand nombre de sciences, pour voir si leur esprit est capable de soutenir les plus hautes études, **(504a)** ou s'ils perdront courage, comme ceux qui abandonnent la partie dans les luttes gymniques.

Incontestablement, dit-il, c'est une épreuve qu'il faut faire. Mais quelles sont ces hautes études dont tu parles ?

Tu te souviens sans doute, repris-je, qu'après avoir distingué trois parties dans l'âme nous avons expliqué par là en quoi consistent respectivement la justice, la tempérance, le courage et la sagesse.

Si je ne m'en souvenais pas, répondit-il, je ne mériterais pas d'entendre ce qui te reste à dire.

Te rappelles-tu aussi ce que nous avons dit avant cela ?

(504b) Quoi donc ?

Nous avons dit que, pour arriver à contempler ces vertus dans le meilleur jour possible, il fallait prendre un circuit plus long, au bout duquel on les verrait en pleine lumière, mais qu'on pouvait cependant compléter notre raisonnement par des démonstrations fondées sur ce qui ne venait d'être dit. Vous avez déclaré que cela suffisait, et alors je vous ai fait un exposé qui n'avait pas, selon moi, la rigueur nécessaire ; mais peut-être vous en êtes-vous contentés ; c'est à vous de le dire.

Pour moi, dit-il, je l'ai trouvé satisfaisant, et les autres aussi.

(504c) Mais, mon ami, repris-je, quand il s'agit de choses si importantes, une mesure qui n'atteint pas à la vérité la plus rigoureuse ne saurait être bien satisfaisante, parce que rien d'imparfait n'est la mesure de quoi que ce soit ; cependant il y a parfois des gens qui se trouvent satisfaits tout de suite et n'estiment pas nécessaire de pousser les recherches plus loin.

Il y en a même beaucoup qui s'en tiennent là, dit-il, par nonchalance d'esprit.

Et c'est justement, repris-je, ce que doit faire moins que personne un gardien de la cité et des lois.

Naturellement, dit-il.

Ainsi donc, mon ami, repris-je, **(504d)** il faut qu'il prenne le long circuit et qu'il travaille à développer son esprit tout autant que son corps ; autrement, nous venons de le dire, il ne parviendra jamais au terme de cette science qui est la plus haute et la plus appropriée à ses fonctions.

Quoi donc ? ce que nous avons dit n'est-il pas ce qu'il y a de plus important, et y a-t-il encore quelque chose au-dessus de la justice et des autres vertus que nous avons passées en revue ?

Oui, repris-je, il y a quelque chose au-dessus, et j'ajoute qu'à l'égard de ces vertus mêmes il ne faut pas nous borner comme nous l'avons fait jusqu'ici à en regarder l'esquisse ; il ne faut pas renoncer à en contempler le tableau achevé. **(504e)** Ne serait-ce pas ridicule d'appliquer tous ses efforts à des choses de peu de conséquence, pour qu'elles aient toute l'exactitude et la netteté possibles, et de ne pas comprendre que les choses les plus importantes ont besoin aussi de la plus grande exactitude ?

Si, dit-il ; mais crois-tu, ajouta-t-il, qu'on te laissera passer outre sans te demander ce qu'est cette étude si importante et quel en est l'objet, selon toi ?

Pas du tout, répondis-je ; mais tu n'as qu'à m'interroger ; au reste tu m'as entendu traiter la question plus d'une fois, et maintenant ou tu l'as oublié ou tu ne cherches qu'à m'embarrasser par tes objections. **(505a)** C'est plutôt cette dernière supposition qui est la vraie, ce me semble, puisque tu m'as souvent entendu dire que l'idée du bien est l'objet de la science la plus haute, et que c'est d'elle que la justice et les autres vertus tirent leur utilité et leurs avantages. C'est encore, tu t'en doutes bien, ce que je vais te répondre à présent, en ajoutant que nous ne connaissons pas exactement cette idée, et que, si nous ne la connaissons pas, connussions-nous tout ce qui est en dehors d'elle aussi parfaitement qu'il est possible, cela, tu le sais, ne nous servira de rien, **(505b)** de même que sans la possession du bien celle de toute autre chose nous est inutile. Crois-tu en effet qu'il y ait quelque avantage à posséder quelque chose que ce soit, si elle n'est bonne, ou à connaître tout, sans connaître le bien, et à ne rien connaître de beau ni de bon ?

Non, par Zeus, dit-il.

D'autre part tu sais aussi que le vulgaire fait consister le bien dans le plaisir, et les raffinés dans l'intelligence.

Sans doute.

Tu sais aussi, cher ami, que ceux qui partagent ce dernier sentiment ne peuvent expliquer ce que c'est que l'intelligence et qu'à la fin ils sont réduits à dire que c'est l'intelligence du bien.

Oui, dit-il, et cela est fort plaisant.

Et comment ne serait-ce pas plaisant de leur part de nous reprocher notre ignorance à l'égard du bien et de nous en parler ensuite comme si nous le connaissions? **(505c)** Ils disent que c'est l'intelligence du bien, comme si nous comprenions ce qu'ils veulent dire, dès qu'ils prononcent le mot de bien.

Rien n'est plus vrai, dit-il.

Mais ceux qui définissent le bien par le plaisir sont-ils moins pleins d'erreur que les autres? Ne sont-ils pas eux aussi contraints d'avouer qu'il y a des plaisirs mauvais?

Incontestablement.

Ils doivent donc à mon avis reconnaître que les mêmes choses sont bonnes et mauvaises; **(505d)** n'est-ce pas vrai?

Sans doute.

Aussi voit-on s'élever sur ce point de nombreuses et graves controverses.

Comment en serait-il autrement?

Mais quoi! n'est-il pas évident qu'à l'égard du juste et de l'honnête, bien des gens s'en tiennent aux apparences et que ces vertus apparentes ont beau n'être que néant, ils n'en veulent pas moins les pratiquer, les posséder et faire croire qu'ils les possèdent; qu'à l'égard du bien au contraire personne ne se contente des apparences, mais que tout le monde s'attache à la réalité et ne fait aucun cas de l'apparence?

Cela est certain, dit-il.

Or ce bien que toute âme poursuit et dont elle fait la fin de tous ses actes, **(505e)** dont elle devine l'importance, sans pouvoir atteindre à la certitude et définir au juste ce qu'il est, ni s'en reposer sur une solide croyance, comme elle le fait à l'égard des autres choses, ce qui lui fait perdre aussi les avantages qu'elle pourrait tirer d'elles, ce bien si précieux, si considérable, doit-il, à notre avis, **(506a)** rester couvert des mêmes ténèbres pour ces citoyens éminents à qui nous devons tout confier?

Point du tout, dit-il.

En tout cas, dis-je, il n'importe guère, à mon avis, que le juste et l'honnête trouvent un gardien, si ce gardien ignore leur rapport avec le bien, et je prédis qu'on ne les connaîtra pas suffisamment, avant de connaître ce rapport.

Ta prédiction est sûre, fit-il.

(506b) Notre constitution sera donc parfaitement organisée, si elle a pour veiller sur elle un gardien qui possède cette connaissance.

L'IDÉE DU BIEN

Nécessairement, dit-il ; mais toi-même, Socrate, que penses-tu que soit le bien ? science, plaisir ou quelque autre chose ?

Toi, l'ami, répondis-je, je voyais fort bien à l'avance que tu ne serais pas satisfait de l'opinion des autres en cette matière.

C'est qu'aussi il ne me paraît pas raisonnable, Socrate, reprit-il, qu'on soit capable d'exposer les opinions d'autrui, et qu'on ne le soit pas d'exposer les siennes, quand depuis si longtemps on s'occupe de ces matières.

(506c) Quoi donc ? dis-je, trouves-tu raisonnable de parler de ce qu'on ne sait pas comme si on le savait ?

De parler comme si on le savait, non, fit-il ; mais de consentir à parler en homme qui expose sa pensée personnelle, oui.

Hé quoi ! dis-je, ne vois-tu pas que les opinions qui ne s'appuient pas sur la science font toutes piètre figure ? Les meilleures d'entre elles sont aveugles ; ou trouves-tu quelque différence entre des aveugles qui vont le droit chemin et ceux qui ont une opinion vraie de quelque chose sans en avoir l'intelligence ?

Je n'en trouve aucune, dit-il.

Tiens-tu donc à contempler des choses laides, aveugles, **(506d)** tortueuses, au lieu d'entendre exposer par d'autres des choses éclatantes et magnifiques ?

Au nom de Zeus, Socrate, s'écria Glaucon, ne t'arrête pas comme si tu étais arrivé au terme. Nous serons satisfaits si, comme tu nous as expliqué la justice, la tempérance et les autres vertus, tu nous expliques de même ce qu'est le bien.

Et moi aussi, mon cher, dis-je, je le serais, et même pleinement ; mais je crains que cela ne dépasse mes forces et que mon zèle maladroit ne prête à rire. **(506e)** Faisons mieux, mes bienheureux amis ; laissons-là quant à présent la recherche du bien tel qu'il est en lui-même ; il me paraît trop haut pour que l'élan que nous avons nous porte à présent jusqu'à la conception que je m'en forme. Mais je veux bien vous dire, si vous y tenez, ce qui me paraît être le rejeton du bien et son image la plus ressemblante ; sinon, laissons la question.

Eh bien, dit-il, parle ; une autre fois tu t'acquitteras en nous expliquant ce qu'est le père.

(507a) Plût aux dieux, répondis-je, que nous pussions, moi, payer, vous, recevoir cette explication que je vous dois, au lieu de nous borner, comme nous le faisons, aux intérêts. Prenez donc ce fruit, ce rejeton du bien en soi ; mais gardez que je ne vous trompe sans le vouloir, en vous remettant un compte erroné des intérêts.

Nous y prendrons garde, dit-il, autant que nous pourrons ; parle seulement.

Il faut auparavant, dis-je, que nous nous mettions d'accord, et que je vous rappelle ce qui a été dit précédemment et en mainte autre rencontre.

(507b) Quoi ? demanda-t-il.

Il y a un grand nombre de belles choses, un grand nombre de bonnes choses, un grand nombre de toute espèce d'autres choses, dont nous affirmons l'existence et que nous distinguons dans le langage.

Oui, en effet.

Nous affirmons aussi l'existence du beau en soi, du bon en soi, et de même, pour toutes les choses que nous posions tout à l'heure comme multiples, nous déclarons qu'à chacune d'elles aussi correspond son idée qui est unique et que nous appelons son essence.

C'est juste.

(507c) Nous ajoutons que les choses multiples sont vues, et non conçues, et que les idées sont conçues et non vues.

C'est très exact.

Et maintenant par quel organe percevons-nous les choses visibles ?

Par la vue, dit-il.

De même, repris-je, nous percevons les sons par l'ouïe, et, par les autres sens, tous les objets sensibles.

Sans doute.

Or, dis-je, n'as-tu pas remarqué que l'ouvrier de nos sens s'est mis beaucoup plus en dépense pour la faculté de voir et d'être vu que pour les autres ?

Pas du tout, dit-il.

Eh bien, remarque ceci. L'ouïe et la voix ont-elles besoin d'une autre chose d'espèce différente, l'une pour entendre, l'autre pour être entendue, de sorte que, si cette troisième chose fait défaut, **(507d)** l'une n'entendra pas, l'autre ne sera pas entendue ?

Nullement, dit-il.

Je crois, ajoutai-je, que beaucoup d'autres facultés, pour ne pas dire toutes, n'ont besoin de rien de semblable. En vois-tu une qui fasse exception ?

Non, dit-il.

Mais pour la faculté de voir et d'être vu, ne conçois-tu pas qu'elle a besoin d'autre chose ?

Comment cela ?

La vue a beau être dans les yeux, et l'on a beau vouloir en faire usage ; la couleur de même a beau se trouver dans les objets ; s'il ne s'y joint une troisième espèce de choses faite en particulier dans ce dessein même, **(507e)** tu sais que la vue ne verra rien et que les couleurs seront invisibles.

Quelle est cette chose dont tu parles ? demanda-t-il.

C'est ce que tu appelles la lumière, répondis-je.

C'est juste, fit-il.

(508a) Ainsi donc le lien qui unit le sens de la vue et la faculté d'être vu est d'une espèce bien autrement précieuse que tous ceux qui unissent les autres sens à leur objet, à moins que la lumière ne soit une chose méprisable.

Il s'en faut de beaucoup, dit-il, qu'elle soit méprisable.

Quel est, selon toi, celui des dieux du ciel qui est le maître de produire cette union, et dont la lumière fait que nos yeux voient aussi parfaitement que possible, et que les objets visibles sont vus ?

Celui-là même que tout le monde et toi-même en reconnaissez comme le maître, le soleil, puisque c'est de lui évidemment que tu parles.

Eh bien, la vue n'a-t-elle pas avec ce dieu le rapport que voici ?

Lequel ?

La vue, non plus que la partie où elle se forme et qu'on appelle l'œil, n'est pas le soleil.

(508b) Non, en effet.

Mais de tous les organes des sens, l'œil est, je pense, celui qui tient le plus du soleil.

De beaucoup.

Et le pouvoir qu'il possède ne lui est-il pas dispensé par le soleil comme un fluide qu'il lui envoie ?

Si fait.

N'est-il pas vrai aussi que le soleil qui n'est pas la vue, mais qui en est la cause, est aperçu par cette vue même ?

C'est vrai, dit-il.

Eh bien, maintenant, sache-le, repris-je, **(508c)** c'est le soleil que j'entendais par le fils du bien, que le bien a engendré à sa propre ressemblance, et qui est, dans le monde visible, par rapport à la vue et aux objets visibles, ce que le bien est dans le monde intelligible, par rapport à l'intelligence et aux objets intelligibles.

Comment ? demanda-t-il ; achève ton explication.

Tu sais, repris-je, que, lorsque l'on regarde des objets dont les couleurs ne sont pas éclairées par la lumière du jour, mais par les flambeaux de la nuit, les yeux voient faiblement et paraissent presque aveugles, comme s'ils avaient perdu la netteté de leur vue.

Oui, dit-il.

Mais que, quand ils se tournent vers des objets éclairés par le soleil, **(508d)** ils voient distinctement, n'est-ce pas, et il apparaît bien que ces mêmes yeux ont la vue pure.

Sans doute.

Fais-toi de même à l'égard de l'âme l'idée que voici. Quand elle fixe ses regards sur un objet éclairé par la vérité et par l'être, aussitôt elle le conçoit, le connaît et paraît intelligente ; mais lorsqu'elle se tourne vers ce qui est mêlé d'obscurité, sur ce qui naît et périt, elle n'a plus que des opinions, elle voit trouble, elle varie et passe d'une extrémité à l'autre, et semble avoir perdu toute intelligence.

C'est bien cela.

(508e) Or ce qui communique la vérité aux objets connaissables et à l'esprit la faculté de connaître, tiens pour assuré que c'est l'idée du bien ; dis-toi qu'elle est la cause de la science et de la vérité, en tant qu'elles sont connues ; mais quelque belles qu'elles soient toutes deux, cette science et cette vérité, crois que l'idée du bien en est distincte et les surpasse en beauté, et tu ne te tromperas pas. **(509a)** Et comme dans le monde visible on a raison de penser que la lumière et la vue ont de l'analogie avec le soleil, mais qu'on aurait tort de les prendre pour le soleil, de même, dans le monde intelligible, on a raison de croire que la science et la vérité sont l'une et l'autre semblables au bien, mais on aurait tort de croire que l'une ou l'autre soit le bien ; car il faut porter plus haut encore la nature du bien, que dans la lumière, mais que nous ne pouvons voir que dans la lumière.

Tu lui prêtes une beauté bien extraordinaire, dit-il, s'il produit la science et la vérité et s'il est encore plus beau qu'elles : ce n'est pas certainement le plaisir que tu entends par là.

Dieu m'en garde ! répliquai-je ; mais continue à considérer l'image du bien comme je vais dire.

(509b) Comment ?

Tu reconnaîtras, je pense, que le soleil donne aux objets visibles non seulement la faculté d'être vus, mais encore la genèse, l'accroissement et la nourriture, bien qu'il ne soit pas lui-même genèse.

Il ne l'est pas en effet.

De même pour les objets connaissables, tu avoueras que non seulement ils tiennent du bien la faculté d'être connus, mais qu'ils lui doivent par surcroît l'existence et l'essence, quoique le bien ne soit point essence, mais quelque chose qui dépasse de loin l'essence en majesté et en puissance.

(509c) Alors Glaucon s'écria plaisamment : « Dieu du soleil, quelle merveilleuse transcendance ! »

C'est ta faute aussi, répliquai-je : pourquoi m'obliger à dire ma pensée sur ce sujet ?

N'en demeure pas là, dit-il, et, à supposer que tu ne veuilles pas pousser plus loin, reprends au moins la comparaison avec le soleil, si tu as omis quelque chose.

Sans doute, repris-je, j'ai omis bien des choses.

Eh bien, maintenant n'en laisse pas une de côté, si mince qu'elle soit.

J'ai peur d'en laisser, répondis-je, et beaucoup ; néanmoins je tâcherai, autant qu'il est possible en improvisant, de ne rien omettre.

N'y manque pas, dit-il.

(509d) Conçois donc, dis-je, qu'ils sont deux, comme nous l'avons dit, et qu'ils règnent, l'un sur le genre et le monde intelligibles, l'autre sur le monde visible, je ne dis pas le ciel : tu pourrais croire que je veux étaler ma science étymologique à propos de ce mot. Tu saisis bien ces deux espèces, le visible, l'intelligible ?

Oui.

L'IMAGE DE LA LIGNE[39]

Suppose à présent une ligne coupée en deux parties inégales ; coupe encore chaque partie suivant la même proportion, celle du genre visible et celle de l'intelligible ; **(509e)** et suivant le degré clarté ou d'obscurité relatives des choses, **(510a)** tu auras dans le monde visible, une première section, celle des images. J'appelle images en premier lieu les ombres, ensuite les fantômes représentés dans les eaux et sur la surface des corps opaques, lisses et brillants, et toutes les autres représentations du même genre. Tu saisis ?

Oui, je saisis.

Représente-toi maintenant l'autre section dont la première est l'image : elle nous comprend, nous les êtres vivants, et avec nous toutes les plantes et tous les objets fabriqués par l'homme.

Je me la représente, dit-il.

Veux-tu bien admettre aussi, repris-je, que le genre visible se divise en vrai et en faux, et que l'image est au modèle comme l'objet de l'opinion est à l'objet de la connaissance ?

(510b) Oui, dit il, certainement.

D'un autre côté considère de quelle manière il faut couper la section de l'intelligible.

Comment ?

Voici : dans la première partie de cette section, l'âme, se servant comme d'images, des objets qui dans la section précédente étaient des originaux, est forcée d'instituer ses recherches en partant d'hypothèses et suit une marche qui la mène, non au principe, mais à la conclusion ; dans la deuxième partie l'âme va de l'hypothèse au principe absolu, sans faire usage des images, comme dans le cas précédent, et mène sa recherche au moyen des seules idées.

Je n'ai pas bien compris, dit-il, ce que tu viens de dire.

(510c) Eh bien, revenons-y ; tu comprendras mieux après ce que je vais dire. Tu n'ignores pas, je pense, que ceux qui s'occupent de géométrie, d'arithmétique et autres sciences du même genre, supposent le pair et l'impair, les figures, trois espèces d'angles et d'autres choses analogues suivant l'objet de leur recherche : qu'ils les traitent comme choses connues, et que, quand ils en ont fait des hypothèses, ils estiment qu'ils n'ont plus à en rendre aucun compte ni à eux-mêmes ni aux

39. *Voir* Annexe 1, p.151

autres, attendu qu'elles sont évidentes à tous les esprits ; **(510d)** qu'enfin, partant de ces hypothèses et passant par tous les échelons, ils aboutissent par voie de conséquence à la démonstration qu'ils s'étaient mis en tête de chercher.

Ouï, dit-il, cela, je le sais.

Par conséquent tu sais aussi qu'ils se servent de figures visibles et qu'ils raisonnent sur ces figures, quoique ce ne soit point à elles qu'ils pensent, mais à d'autres auxquelles celles-ci ressemblent. Par exemple c'est du carré en soi, de la diagonale en soi qu'ils raisonnent, et non de la diagonale telle qu'ils la tracent, et il faut en dire autant de toutes les autres figures. **(510e)** Toutes ces figures qu'ils modèlent ou dessinent, qui portent des ombres et produisent des images dans l'eau, ils les emploient comme si c'étaient aussi des images, pour arriver à voir ces objets supérieurs qu'on n'aperçoit que par la pensée.

(511a) C'est vrai, dit-il.

Voilà ce que j'entendais par la première classe des choses intelligibles, où, dans la recherche qu'il en fait, l'esprit est obligé d'user d'hypothèses, sans aller au principe, parce qu'il ne peut s'élever au-dessus des hypothèses, mais en se servant comme d'images des objets mêmes qui produisent les ombres de la section inférieure, objets qu'ils jugent plus clairs que les ombres et qu'ils prisent comme tels.

(511b) Je comprends, dit-il ; tu veux parler de ce qui se fait en géométrie et dans les autres sciences de même nature.

Apprends maintenant ce que j'entends par la deuxième section des choses intelligibles. Ce sont celles que la raison elle-même saisit par la puissance dialectique, tenant ses hypothèses non pour des principes, mais pour de simples hypothèses, qui sont comme des degrés et des points d'appui pour s'élever jusqu'au principe de tout, qui n'admet plus d'hypothèse. Ce principe atteint, elle descend, en s'attachant à toutes les conséquences qui en dépendent, jusqu'à la conclusion dernière, sans faire aucun usage d'aucune donnée sensible, **(511c)** mais en passant d'une idée à une idée, pour aboutir à une idée.

Je comprends, dit-il, mais pas suffisamment ; car ce n'est pas, je m'imagine, une mince besogne que cette recherche dont tu parles. Il me semble pourtant que tu veux établir que la connaissance de l'être et de l'intelligible qu'on acquiert par la science de la dialectique est plus claire que celle qu'on acquiert par ce qu'on appelle les sciences, lesquelles ont des hypothèses pour principes. **(511d)** Sans doute ceux qui étudient les objets des sciences sont contraints de le faire par la pensée, non par les sens ; mais parce qu'ils les examinent sans remonter au principe, mais en partant d'hypothèses, ils ne te paraissent pas avoir l'intelligence de ces objets, bien que ceux-ci soient intelligibles avec un principe. Et il me paraît que tu appelles connaissance discursive, et non intelligence, la science des géomètres et autres savants du même genre, parce que la connaissance discursive est quelque chose d'intermédiaire entre l'opinion et l'intelligence.

Tu as très bien compris, dis-je. Maintenant à nos quatre sections applique ces quatre opérations de l'esprit : **(511e)** à la section la plus élevée l'intelligence, à la seconde la connaissance discursive, à la troisième attribue la foi, à la dernière la conjecture, et range-les par ordre de clarté, en partant de cette idée que, plus leurs objets participent de la vérité, plus ils ont de clarté.

J'entends, dit-il, j'approuve, et j'adopte l'ordre que tu proposes.

L'ALLÉGORIE DE LA CAVERNE[40]

(514a) Maintenant, repris-je, représente-toi notre nature, selon qu'elle est ou qu'elle n'est pas éclairée par l'éducation, d'après le tableau que voici. Figure-toi des hommes dans une demeure souterraine en forme de caverne, dont l'entrée, ouverte à la lumière, s'étend sur toute la longueur de la façade ; **(514b)** ils sont là depuis leur enfance, les jambes et le cou pris dans des chaînes, en sorte qu'ils ne peuvent bouger de place, ni voir ailleurs que devant eux ; car les liens les empêchent de tourner la tête ; la lumière d'un feu allumé au loin sur une hauteur brille derrière eux ; entre le feu et les prisonniers il y a une route élevée ; le long de cette route figure-toi un petit mur, pareil aux cloisons que les montreurs de marionnettes dressent entre eux et le public et au-dessus desquelles ils font voir leurs prestiges.

Je vois cela, dit-il.

Figure-toi maintenant le long de ce petit mur des hommes portant des ustensiles de toute sorte, **(514c)** qui dépassent la hauteur du mur, **(515a)** et des figures d'hommes et d'animaux, en pierre, en bois, de toutes sortes de formes ; et naturellement parmi ces porteurs qui défilent les uns parlent, les autres ne disent rien.

Voilà, dit-il, un étrange tableau et d'étranges prisonniers.

40. *Voir* Annexe 2, p. 152.

Ils nous ressemblent, répondis-je. Et d'abord penses-tu que dans cette situation ils aient vu d'eux-mêmes et de leurs voisins autre chose que les ombres projetées par le feu sur la partie de la caverne qui leur fait face ?

Peut-il en être autrement, dit-il, **(515b)** s'ils sont contraints toute leur vie de rester la tête immobile ?

Et des objets qui défilent, n'en est-il pas de même ?

Sans contredit.

Dès lors, s'ils pouvaient s'entretenir entre eux, ne penses-tu pas qu'ils croiraient nommer les objets réels eux-mêmes, en nommant les ombres qu'ils verraient ?

Nécessairement.

Et s'il y avait aussi un écho qui renvoyât les sons du fond de la prison, toutes les fois qu'un des passants viendrait à parler, crois-tu qu'ils ne prendraient pas sa voix pour celle de l'ombre qui défilerait ?

Si, par Zeus, dit-il.

(515c) Il est indubitable, repris-je, qu'aux yeux de ces gens-là la réalité ne saurait être autre chose que les ombres des objets confectionnés.

C'est de toute nécessité, dit-il.

Examine maintenant comment ils réagiraient, si on les délivrait de leurs chaînes et qu'on les guérissait de leur ignorance, et si les choses se passaient naturellement comme il suit. Qu'on détache un de ces prisonniers, qu'on le force à se dresser soudain, à tourner le cou, à marcher, à lever les yeux vers la lumière, tous ces mouvements le feront souffrir, **(515d)** et l'éblouissement l'empêchera de regarder les objets dont il voyait les ombres tout à l'heure. Je te demande ce qu'il pourra répondre, si on lui dit que tout à l'heure il ne voyait que des riens sans consistance, mais que maintenant plus près de la réalité et tourné vers des objets plus réels, il voit plus juste ; si enfin, lui faisant voir chacun des objets qui défilent devant lui, on l'oblige à force de questions à dire ce que c'est, ne crois-tu pas qu'il sera embarrassé et que les objets qu'il voyait tout à l'heure lui paraîtront plus véritables que ceux qu'on lui montre à présent ?

Beaucoup plus véritables, dit-il.

(515e) Et si on le forçait à regarder la lumière même, ne crois-tu pas que les yeux lui feraient mal et qu'il se déroberait et retournerait aux choses qu'il peut regarder, et qu'il les croirait réellement plus distinctes que celles qu'on lui montre ?

Je le crois, fit-il.

Et si, repris-je, on le tirait de là par force, qu'on lui fît gravir la montée rude et escarpée, et qu'on ne le lâchât pas avant de l'avoir traîné dehors à la lumière du soleil, ne penses-tu pas qu'il souffrirait et se révolterait d'être ainsi traîné, **(516a)** et qu'une fois arrivé à la lumière, il aurait les yeux éblouis de son éclat, et ne pourrait voir aucun des objets que nous appelons à présent véritables ?

Il ne le pourrait pas, dit-il, du moins tout d'abord.

Il devrait en effet, repris-je, s'y habituer, s'il voulait voir le monde supérieur. Tout d'abord ce qu'il regarderait le plus facilement, ce sont les ombres, puis les images des hommes et des autres objets reflétés dans les eaux, puis les objets eux-mêmes ; puis élevant ses regards vers la lumière des astres et de la lune, **(516b)** il contemplerait pendant la nuit les constellations et le firmament lui-même plus facilement qu'il ne ferait pendant le jour le soleil et l'éclat du soleil.

Sans doute.

À la fin, je pense, ce serait le soleil, non dans les eaux, ni ses images reflétées sur quelque autre point, mais le soleil lui-même dans son propre séjour qu'il pourrait regarder et contempler tel qu'il est.

Nécessairement, dit-il.

Après cela, il en viendrait à conclure au sujet du soleil, que c'est lui qui produit les saisons et les années, **(516c)** qu'il gouverne tout dans le monde visible et qu'il est en quelque manière la cause de toutes ces choses que lui et ses compagnons voyaient dans la caverne.

Il est évident, dit-il, que c'est là qu'il en viendrait après ces diverses expériences.

Si ensuite il venait à penser à sa première demeure et à la science qu'on y possède, et aux compagnons de sa captivité, ne crois-tu pas qu'il se féliciterait du changement et qu'il les prendrait en pitié ?

Certes si.

Quant aux honneurs et aux louanges qu'ils pouvaient alors se donner les uns aux autres, et aux récompenses accordées à celui qui discernait de l'œil le plus pénétrant les objets qui passaient, **(516d)** qui se rappelait le plus exactement ceux qui passaient régulièrement les premiers ou les derniers, ou ensemble, et qui par là était le plus habile à deviner celui qui allait arriver, penses-tu que notre homme en aurait envie, et qu'il jalouserait ceux qui seraient parmi ces prisonniers en possession des honneurs et de la puissance ? Ne penserait-il pas comme **Achille**[41] dans Homère, et ne préférerait-il pas cent fois n'être qu'un valet de charrue au service d'un pauvre laboureur et supporter tous les maux possibles plutôt que de revenir à ses anciennes illusions et de vivre comme il vivait ?

(516e) Je suis de ton avis, dit-il : il préférerait tout souffrir plutôt que de revivre celle vie-là ?

Imagine encore ceci, repris-je ; si notre homme redescendait et reprenait son ancienne place, n'aurait-il pas les yeux offusqués par les ténèbres, en venant brusquement du soleil ?

Assurément si, dit-il.

Et s'il lui fallait de nouveau juger de ces ombres et concourir avec les prisonniers qui n'ont jamais quitté leurs chaînes, pendant que sa vue est encore confuse et avant que ses yeux se soient remis et accoutumés à l'obscurité, **(517a)** ce qui demanderait un temps assez long, ne prêterait-il pas à rire et ne diraient-ils pas de lui que, pour être monté là-haut, il en est revenu les yeux gâtés, que ce n'est même pas la peine de tenter l'ascension ; et, si quelqu'un essayait de les délier et les conduire en haut, et qu'ils pussent le tenir en leurs mains et le tuer, ne le tueraient-ils pas ?

Ils le tueraient certainement, dit-il.

Maintenant, repris-je, il faut, mon cher Glaucon, appliquer exactement cette image à ce que nous avons dit plus haut : **(517b)** il faut assimiler le monde visible au séjour de la prison, et la lumière du feu dont elle est éclairée à l'effet du soleil ; quant à la montée dans le monde supérieur et à la contemplation de ses merveilles, vois-y la montée de l'âme dans le monde intelligible, et tu ne te tromperas pas sur ma pensée, puisque tu désires la connaître. Dieu sait si elle est vraie ; en tout cas, c'est mon opinion, qu'aux dernières limites du monde intelligible est l'idée du bien, **(517c)** qu'on aperçoit avec peine, mais qu'on ne peut apercevoir sans conclure qu'elle est la cause universelle de tout ce qu'il y a de bien et de beau ; que dans le monde visible, c'est elle qui a créé la lumière et le dispensateur de la lumière ; et que dans le monde intelligible, c'est elle qui dispense et procure la vérité et l'intelligence, et

41. **Achille** Héros homérique.

qu'il faut la voir pour se conduire avec sagesse soit dans la vie privée, soit dans la vie publique.

Je suis de ton avis, dit-il, autant que je peux suivre ta pensée.

Eh bien, repris-je, sois encore de mon avis sur ce point, qu'il n'est pas étonnant que ceux qui se sont élevés jusque-là ne soient plus disposés à prendre en main les affaires humaines, **(517d)** et que leurs âmes aspirent sans cesse à demeurer sur ces hauteurs. Cela est bien naturel, s'il faut encore sur ce point s'en rapporter à notre allégorie.

Bien naturel, en effet, dit-il.

Mais, repris-je, penses-tu qu'il faille s'étonner qu'en passant de ces contemplations divines aux misérables réalités de la vie humaine, on ait l'air gauche et tout à fait ridicule, lorsque, ayant encore la vue trouble et n'étant pas suffisamment habitué aux ténèbres où l'on vient de tomber, on est forcé d'entrer en dispute dans les tribunaux ou ailleurs sur les ombres du juste ou sur les images qui projettent ces ombres et de combattre les interprétations qu'en font des gens qui n'ont jamais vu la justice en soi ?

(517e) Ce n'est pas étonnant du tout, fit-il.

Mais, si l'on était sensé, repris-je, **(518a)** on se rappellerait que les yeux sont troublés de deux manières et par deux causes opposées, par le passage de la lumière à l'obscurité et par celui de l'obscurité à la lumière ; alors réfléchissant que ces deux cas s'appliquent aussi à l'âme, quand on verrait une âme troublée et impuissante à discerner un objet, au lieu d'en rire sans raison, on examinerait si, au sortir d'une vie plus lumineuse, elle est, faute d'habitude, offusquée par les ténèbres, ou si, **(518b)** venant de l'ignorance à la lumière, elle est éblouie par une splendeur trop éclatante ; dans le premier cas, on la féliciterait de son embarras et de l'usage qu'elle fait de la vie ; dans l'autre, on la plaindrait, et, si l'on voulait rire à ses dépens, la raillerie serait moins ridicule que si elle tombait sur l'âme qui redescend de la lumière.

C'est là, dit-il, une distinction très juste.

Il faut donc, repris-je, si tout cela est vrai, en tirer la conclusion que voici : c'est que l'éducation n'est point ce que certains proclament qu'elle est ; ils prétendent en effet mettre la science dans l'âme, **(518c)** où elle n'est pas, comme on mettrait la vue dans, des yeux aveugles.

Ils le prétendent en effet, dit-il.

Or, dis-je, le discours présent fait voir que toute âme a en elle cette faculté d'apprendre et un organe à cet usage, et que, comme un œil qu'on ne pourrait tourner de l'obscurité vers la lumière qu'en tournant en même temps tout le corps, cet organe doit être détourné avec l'âme tout entière des choses périssables, jusqu'à ce qu'il devienne capable de supporter la vue de l'être et de la partie la plus brillante de l'être, **(518d)** et cela, nous l'appelons le bien, n'est-ce pas ?

Oui.

L'éducation, repris-je, est l'art de tourner cet organe même et de trouver pour cela la méthode la plus facile et la plus efficace ; elle ne consiste pas à mettre la vue dans l'organe, puisqu'il la possède déjà ; mais, comme il est mal tourné et regarde ailleurs qu'il ne faudrait, elle en ménage la conversion.

C'est ce qu'il semble, dit-il.

Maintenant on peut admettre que les autres facultés appelées facultés de l'âme sont analogues aux facultés du corps ; **(518e)** car il est vrai que, quand elles manquent tout d'abord, on peut les acquérir dans la suite par l'habitude et l'exercice ; mais il en est une, la faculté de connaître, qui paraît bien certainement appartenir à quelque chose de plus divin, qui ne perd jamais son pouvoir, et qui, selon la direction qu'on lui donne, devient utile et avantageuse, ou inutile et nuisible. **(519a)** N'as-tu pas encore remarqué, à propos des fripons qu'on appelle des malins, combien leur misérable esprit a la vue perçante et distingue nettement les choses vers lesquelles il se tourne ; car il n'a pas la vue faible, mais il est contraint de se mettre au service de leur malhonnêteté ; aussi plus il a la vue perçante, plus il fait de mal.

C'est bien cela, dit-il.

Et pourtant, repris-je, si dès l'enfance on opérait l'âme ainsi conformée par la nature, et qu'on coupât, **(519b)** si je puis dire, ces masses de plomb, qui sont de la famille du devenir, et qui, attachées à l'âme par le lien des festins, des plaisirs et des appétits de ce genre, en tournent la vue vers le bas ; si, débarrassée de ces poids, on la tournait vers la vérité, cette même âme chez les mêmes hommes la verrait avec la plus grande netteté, comme elle voit les choses vers lesquelles elle est actuellement tournée.

C'est vraisemblable, dit-il.

N'est-il pas vraisemblable aussi, repris-je, et ne suit-il pas nécessairement de ce que nous avons dit que ni les gens sans éducation et sans connaissance de la vérité, **(519c)** ni ceux qu'on laisse passer toute leur vie dans l'étude ne sont propres au gouvernement de l'État, les uns, parce qu'ils n'ont dans leur vie aucun idéal auquel ils puissent rapporter tous leurs actes, privés et publics, les autres, parce qu'ils ne consentiront pas à s'en occuper, eux qui de leur vivant se croient déjà établis dans les **îles fortunées**[42].

C'est vrai, dit-il.

LES PHILOSOPHES AU POUVOIR

C'est donc à nous, les fondateurs de l'État, repris-je, **(519d)** d'obliger les hommes d'élite à se tourner vers la science que nous avons reconnue tout à l'heure comme la plus sublime de toutes, à voir le bien et à faire l'ascension dont nous avons parlé ; mais lorsque, parvenus à cette région supérieure, ils auront suffisamment contemplé le bien, gardons-nous de leur permettre ce qu'on leur permet aujourd'hui.

Quoi donc ?

De rester là-haut, répondis-je, et de ne plus vouloir redescendre chez nos prisonniers, ni prendre part à leurs travaux et à leurs honneurs plus ou moins estimables.

Mais alors, dit-il, nous attenterons à leurs droits, et les forcerons à mener une vie mesquine, quand ils pourraient jouir d'une condition plus heureuse ?

(519e) Tu oublies encore une fois, mon ami, repris-je, que la loi n'a point souci d'assurer un bonheur exceptionnel à une classe de citoyens, mais qu'elle cherche à réaliser le bonheur dans la cité tout entière, en unissant les citoyens soit par la persuasion, soit par la contrainte, et en les amenant à se faire part les uns aux autres des services que chaque classe est capable de rendre à la communauté ; **(520a)** et que, si elle s'applique à former dans l'État de pareils citoyens, ce n'est pas pour les laisser tourner leur activité où il leur plaît, mais pour les faire concourir à fortifier le lien de l'État.

C'est vrai, dit-il ; je l'avais oublié.

Maintenant, Glaucon, repris-je, observe que nous ne serons pas non plus injustes envers les philosophes qui se seront formés chez nous, et que nous aurons de bonnes raisons à leur donner pour les obliger à se charger de la conduite et de la garde des autres. **(520b)** Nous leur di-

42. **Îles fortunées** Dans la mythologie, ces îles se trouvent aux extrémités de la terre.

rons en effet : « Dans les autres États, il est naturel que ceux qui s'élèvent jusqu'à la philosophie ne prennent point de part aux tracas de la politique, parce qu'ils se forment d'eux-mêmes, en dépit de leur gouvernement respectif ; or, quand on se forme de soi-même et qu'on ne doit sa nourriture à personne, il est juste qu'on ne veuille pas non plus la rembourser à qui que ce soit. Mais vous, nous vous avons formés dans l'intérêt de l'État comme dans le vôtre, pour être ce que sont les chefs et les rois dans les essaims d'abeilles, et nous vous avons donné une éducation plus parfaite et plus complète que celle des philosophes étrangers, **(520c)** et nous vous avons rendus plus capables qu'eux d'allier la philosophie à la politique. Vous devez donc, chacun à votre tour, descendre dans la demeure commune aux autres et vous habituer à regarder les ombres obscures ; car une fois habitués à l'obscurité, vous y verrez mille fois mieux que les autres, et vous reconnaîtrez chaque image et ce qu'elle représente, parce que vous aurez vu les véritables exemplaires du beau, du juste et du bien. Ainsi notre constitution deviendra, pour nous et pour vous une réalité, et non un rêve, comme dans la plupart des États d'aujourd'hui, **(520d)** où les chefs se battent pour des ombres et se disputent l'autorité, comme si c'était un grand bien. Mais voici quelle est la vérité, c'est que l'État où le commandement est réservé à ceux qui sont les moins empressés à l'obtenir est forcément le mieux et le plus paisiblement gouverné, et que c'est le contraire dans l'État où les maîtres sont le contraire.

C'est parfaitement vrai, dit-il.

Eh bien, nos élèves refuseront-ils, à ton avis, de se rendre à ces raisons ? Ne consentiront-ils pas à prendre part au labeur politique chacun à leur tour, tout en passant la plus grande partie de leur temps les uns avec les autres dans le monde des idées pures ?

Ils ne pourront refuser, dit-il ; car ils sont justes, **(520e)** et nous ne leur demandons rien que de juste ; mais il est indubitable que chacun d'eux ne prendra le commandement que par devoir, au rebours de ceux qui gouvernent à présent dans tous les États.

La chose est ainsi, mon ami, répliquai-je. Si tu découvres pour ceux qui doivent commander une condition meilleure que le pouvoir lui-même, **(521a)** tu auras le moyen d'avoir un État bien gouverné ; car c'est dans cet État seul que commanderont ceux qui sont vraiment riches, non en or, mais en vertu et en sagesse, qui sont les richesses nécessaires au bonheur. Mais là où des gueux et des gens affamés de richesses personnelles viennent aux affaires publiques, persuadés que c'est là qu'ils doivent faire leur main, il n'y a pas de bon gouvernement possible ; car ils se battent pour commander, et cette guerre domestique et intestine les perd, eux et tout l'État.

Rien de plus vrai, dit-il.

(521b) Or, connais-tu, repris-je, une autre condition que celle du vrai philosophe pour inspirer le mépris du pouvoir ?

Non, par Zeus, fit-il.

Or il est bien certain qu'il ne faut pas que l'on recherche le pouvoir avec passion ; autrement, il y aura rivalités et batailles.

Sans doute.

Dès lors à qui imposeras-tu la tâche de garder l'État, sinon à ceux qui, mieux instruits que les autres des moyens d'établir le meilleur gouvernement, ont d'autres honneurs et une vie préférable à celle de l'homme d'État ?

À ceux-là seuls, répondit-il.

(521c) Veux-tu que nous examinions à présent de quelle manière se formeront des hommes de ce caractère, et comment on les fera monter à la lumière, comme certains héros sont montés, dit-on, de l'Hadès chez les dieux ?

Si je le veux ! dit-il ; assurément.

Ce n'est pas, ce semble, aussi simple que de retourner un **palet**[43] : il s'agit de tourner l'âme du jour ténébreux au vrai jour, c'est-à-dire de l'élever jusqu'à la réalité : et c'est justement là ce que nous appellerons la véritable philosophie.

Fort bien.

Il faut donc rechercher parmi les sciences celle qui possède ce pouvoir.

(521d) Sans doute.

43. **Palet** Objet rond et plat.

§ 4. LE JUSTE EST HEUREUX – LE MYTHE FINAL

Dans cette section qui clôt La République, *Platon expose les avantages de la justice et les inconvénients de l'injustice. Pour qu'une âme juste puisse bénéficier des avantages de la justice, il faut qu'elle puisse être immortelle. De même, une âme injuste doit pouvoir être punie après la mort. Il importe donc pour Platon de présenter une démonstration de l'immortalité de l'âme. Par la suite, Platon présentera un mythe philosophique, dont l'objectif est d'illustrer le jugement des âmes après la mort. Ce mythe fait écho à deux autres, dont l'un – l'anneau de Gygès – fut présenté plus tôt dans* La République. *Dans ce mythe, un individu découvre qu'il peut devenir invisible à l'aide d'une bague. Il usurpe alors le pouvoir de façon injuste. Pour Platon, ce mythe montre que l'individu croit souvent que l'injustice est avantageuse, surtout lorsque ladite injustice est « invisible ». Le mythe d'Er le Pamphylien, à la toute fin de* La République, *montre bien que, dans le royaume des morts, rien n'est invisible, et que les gens qui ont été injustes dans leur vie subissent des punitions, tandis que les justes mènent une vie bienheureuse.*

L'IMMORTALITÉ DE L'ÂME

[*Dialogue entre Socrate et Glaucon*]

(608c) Nous n'avons pas parlé des plus grandes récompenses et des prix réservés à la vertu.

Il faut, répliqua-t-il, qu'ils soient merveilleusement grands, s'ils surpassent ceux que nous avons énumérés.

Que peut-il y avoir de grand, repartis-je, dans un temps si restreint ? Car tout l'intervalle qui sépare l'enfance de la vieillesse est bien peu de chose en comparaison de l'éternité.

Ce n'est même rien, dit-il.

Mais quoi ! Penses-tu qu'un être immortel doive se donner tant de peine pour un temps si court, et négliger de le faire pour l'éternité ?

(608d) Non certes, répondit-il, mais où tend ta question ?

N'as-tu pas fait attention, répliquai-je, que notre âme est immortelle et qu'elle ne périt jamais ?

À ces mots, il me regarda d'un air étonné et dit : Non, par Zeus ;

mais toi, pourrais-tu le démontrer?

Oui, repartis-je, si je ne m'abuse, et je suis persuadé que tu le pourrais aussi; il n'y a rien là que de facile.

Pas pour moi, répliqua-t-il; mais j'aurais plaisir à t'entendre faire cette démonstration facile.

Écoute, dis-je.

Tu n'as qu'à parler, répondit-il.

Admets-tu qu'il y a du bien et du mal? demandai-je.

Oui.

(608e) Mais t'en fais-tu la même idée que moi?

Quelle idée?

Que tout ce qui perd et détruit, c'est là le mal, que ce qui conserve et conforte, c'est là le bien.

Oui, dit-il.

Ne crois-tu pas aussi qu'il y a un bien et un mal pour chaque chose, par exemple, pour les yeux **(609a)** l'ophtalmie, pour tout le corps la maladie, pour le blé la **nielle**[44], pour le bois la pourriture, pour le cuivre et le fer la rouille, et, comme je l'ai déjà dit, un mal et une maladie attachée par la nature à presque tous les êtres?

Si, dit-il.

Or, quand l'un de ces maux s'attache à un être, ne le gâte-t-il pas et ne finit-il pas par le dissoudre et le ruiner totalement?

Il n'en saurait être autrement.

C'est donc le mal qui lui est attaché par nature, c'est sa méchanceté qui fait périr chaque être; et si ce mal ne le fait pas périr, aucune autre chose n'en sera capable; **(609b)** car il n'y a pas à craindre que le bien fasse jamais périr quoi que ce soit, non plus que ce qui n'est ni mauvais ni bon.

Comment en effet serait-ce possible? répondit-il.

Si donc nous trouvons dans la nature un être avec un mal qui le rende mauvais, sans pourtant être capable de le dissoudre et de le perdre, ne serons-nous pas dès lors assurés qu'un être ainsi constitué ne saurait périr?

Il y a toute apparence, dit-il.

Mais quoi! repris-je, n'y a-t-il pas pour l'âme quelque chose qui la rend mauvaise?

44. **Nielle** Maladie causée par un ver qui affecte les céréales.

Si fait, répliqua-t-il ; il y a tous les vices que nous avons passés en revue, l'injustice, **(609c)** l'intempérance, la lâcheté, l'ignorance.

Est-ce que l'un de ces vices la dissout et la perd ? Et prends garde que nous ne tombions dans l'erreur de croire que l'homme injuste et insensé qu'on a surpris à commettre un crime, meure alors par l'effet de son injustice, qui est le mal de son âme ; considère plutôt la chose de cette manière. De même que la méchanceté du corps, c'est-à-dire la maladie, le mine, le détruit et le réduit au point de n'être même plus un corps, de même encore que toutes les choses dont nous parlions tout à l'heure, par suite de la méchanceté particulière qui s'attache à elles et séjourne en elles, **(609d)** se corrompent, et aboutissent à l'anéantissement, n'est-ce pas vrai ?

Si.

Eh bien, de même, en appliquant à l'âme la même méthode, demande-toi si l'injustice qui est en elle et les autres vices, en se logeant en elle et s'attachant à elle, la corrompent et la flétrissent, jusqu'à ce qu'ils la conduisent à la mort et la séparent du corps.

Ceci, dit-il, n'est point admissible.

D'un autre côté, repris-je, il serait contre toute raison de dire qu'un mal étranger détruit une chose que son propre mal ne peut détruire.

En effet.

Fais attention, Glaucon, repris-je, **(609e)** que ce n'est pas non plus la mauvaise qualité qui peut se trouver dans les aliments mêmes, vétusté, putréfaction ou toute autre, qui est à nos yeux la cause de la mort du corps, mais si la mauvaise qualité des aliments mêmes engendre dans le corps le mal propre au corps, nous dirons qu'à l'occasion de la nourriture le corps a péri par le mal qui lui est propre, la maladie ; **(610a)** mais jamais nous ne prétendrons que le corps, qui a sa nature propre, périsse par la méchanceté des aliments qui sont d'une autre nature, à moins que ce mal étranger n'ait fait naître en lui le mal qui lui est propre.

Rien n'est plus juste, fit-il, que ce discours.

Par la même raison, repris-je, si la maladie du corps n'engendre pas dans l'âme une maladie de l'âme, ne croyons jamais que l'âme périsse par un mal qui lui est étranger, sans l'intervention du mal qui lui est propre, et que l'un périsse par le mal de l'autre.

Ton raisonnement est juste, dit-il.

Il faut donc le réfuter et en montrer la fausseté, ou, **(610b)** tant qu'il ne sera pas réfuté, nous bien garder de dire que la fièvre, ni aucune autre maladie, ni le meurtre, dût le corps tout entier être haché en menus morceaux, que ces maux, dis-je, puissent jamais contribuer à faire périr l'âme. Il faudrait auparavant démontrer que ces accidents du corps ont pour effet de rendre l'âme elle-même plus injuste et plus impie ; mais quand dans une substance s'introduit un mal qui lui est étranger, si le mal qui lui est propre ne s'y joint pas, ne laissons pas dire que l'âme ni quelque autre chose que ce soit **(610c)** périsse.

Il est certain, dit-il, qu'on ne prouvera jamais que les âmes des mourants deviennent plus injustes par l'effet de la mort.

Mais si quelqu'un, repris-je, osait attaquer notre raisonnement et soutenir, pour échapper à la nécessité de reconnaître l'immortalité de l'âme, que celui qui meurt devient plus méchant et plus injuste, nous conclurions que, si notre contradicteur a raison, l'injustice est mortelle pour l'homme injuste, comme la maladie, **(610d)** et que c'est ce mal même, meurtrier par nature, qui tue ceux qui le reçoivent en eux; que les plus injustes meurent plus tôt, les moins injustes plus tard, tandis qu'au contraire c'est le châtiment que d'autres leur imposent en punition de leur injustice qui est la cause de leur mort.

Par Zeus, s'écria-t-il, l'injustice n'apparaîtrait plus comme une chose si terrible, si elle devait causer la mort de celui qui la reçoit en son âme, car il serait délivré du mal. Je crois plutôt qu'on reconnaîtra tout au contraire qu'elle tue les autres, si elle le peut, **(610e)** tandis qu'elle rend très vivace et même très éveillé celui qui l'héberge, tant elle est loin, ce semble, d'être une cause de mort !

Bien dit, repris-je ; car si la perversité propre de l'âme, si son propre mal ne peut ni la tuer, ni la détruire, il est bien difficile que le mal destiné à la destruction d'une autre substance détruise l'âme, ou tout autre objet que celui auquel il est lié.

C'est bien difficile, dit-il, selon toute vraisemblance. Mais quand une chose ne meurt ni par un mal qui lui est propre, ni par un mal qui lui est étranger, **(611a)** il est évident qu'elle doit exister toujours, et que, si elle existe toujours, elle est immortelle.

Nécessairement, dit-il.

Tenons donc, dis-je, cela pour acquis. Mais s'il en est ainsi, tu conçois que ce sont toujours les mêmes âmes qui existent ; et en effet elles ne peuvent diminuer de nombre, puisqu'aucune ne périt, ni augmente non plus ; car si tel ou tel groupe d'êtres immortels venait à s'accroître, il s'accroîtrait de ce qui est mortel et tout, à la fin, serait immortel.

Tu dis vrai. C'est, repris-je, ce qu'il ne faut pas admettre ; car la raison le défend. **(611b)** Il ne faut pas croire non plus que l'âme en sa véritable nature soit une sorte d'être formé d'une foule de parties variées, diverses et différentes entre elles.

Que veux-tu dire ? demanda-t-il.

Il est difficile, répondis-je, qu'un être soit éternel, s'il est formé de plusieurs parties, à moins que l'assemblage n'en soit parfait, comme vient de nous paraître celui de l'âme.

En effet, cela n'est pas vraisemblable.

L'âme est donc immortelle : l'argument que je viens de donner, sans parler des autres, nous force à le reconnaître. Mais pour savoir ce qu'elle est en son fond véritable, il faut la considérer, non pas comme nous le faisons à présent, dans l'état de dégradation **(611c)** où l'a mise son union avec le corps et d'autres misères ; il faut la contempler attentivement des yeux de l'esprit, telle qu'elle est, quand elle est pure. Alors on la verra infiniment plus belle, et l'on distinguera plus clairement les traits de la justice et de l'injustice et toutes les choses dont nous venons de parler. Ce que nous venons de dire d'elle est vrai par rapport à son état présent, et nous l'avons vue dans un état qui ressemble à celui de **Glaucos le marin**[45]. **(611d)** En le voyant, on serait bien embarrassé de reconnaître sa nature primitive ; car des anciennes parties de son corps les unes sont cassées, les autres usées et totalement défigurées par les flots, tandis que de nouvelles s'y sont ajoutées, formées de coquillages, d'algues, de cailloux, en sorte qu'il ressemble plutôt à n'importe quelle bête qu'à ce qu'il était naturellement : c'est ainsi que l'âme se montre à nous, défigurée par mille maux. Mais voici, Glaucon, ce qu'il faut regarder.

Quoi ? demande-t-il.

Son amour de la vérité : **(611e)** il faut considérer quels objets elle atteint, quels commerces elle recherche, en vertu de sa parenté avec ce qui est divin, immortel et éternel, et ce qu'elle deviendrait, si elle s'attachait toute entière à la poursuite des objets de cette nature et si, em-

45. **Glaucos le marin** Selon la légende, il s'agirait d'un pêcheur qui devint immortel après avoir mangé une herbe magique.

portée par son élan, elle sortait de la mer où elle est à présent, secouant les cailloux et les coquillages, qu'amasse autour d'elle la vase dont elle se nourrit, **(612a)** croûte épaisse et grossière de terre et de pierre qui vient de ces bienheureux festins, comme on les appelle. C'est alors qu'on verra sa véritable nature, si elle est simple ou composée, en quoi elle consiste et comment elle est. Quant à présent, nous avons, ce me semble, assez bien expliqué les affections et les formes qu'elle a dans la vie actuelle.

Très bien même, fit-il.

Je continuai : N'avons-nous pas résolu toutes les difficultés soulevées contre la justice, sans faire entrer en ligne les récompenses et la réputation qui la suivent, **(612b)** comme l'ont fait, disiez-vous, Homère et Hésiode ? N'avons-nous pas démontré que la justice est en elle-même le bien suprême de l'âme considérée dans sa vraie nature, et que l'âme doit accomplir ce qui est juste, qu'elle dispose ou non de **l'anneau de Gygès**[46], et, avec l'anneau de Gygès, du **casque d'Hadès**[47] ?

C'est très vrai, répondit-il.

Dès lors, Glaucon, repris-je, qui peut trouver à redire à présent, si, indépendamment de ces avantages, nous restituons à la justice **(612c)** et aux autres vertus les récompenses de toute nature que l'âme en retire de la part des hommes et des dieux pendant la vie et après la mort ?

Il n'y a rien à y redire en effet, dit-il.

Alors voulez-vous me rendre ce que je vous ai prêté dans la discussion ?

Qu'est-ce ? Précise.

Je vous ai accordé que l'homme juste pouvait passer pour méchant, et le méchant pour juste, parce que vous étiez d'avis que, même s'il était impossible de tromper en cela les dieux et les hommes, il fallait pourtant vous l'accorder dans l'intérêt de la démonstration, pour prononcer entre la justice en soi et l'injustice en soi. **(612d)** Ne t'en souviens-tu pas ?

J'aurais tort, répondit-il, de ne pas m'en souvenir.

À présent que la cause est décidée, dis-je, je vous requiers de nouveau, au nom de la justice, d'adopter avec moi le sentiment qu'en ont

46. **Anneau de Gygès** Selon la légende, Gygès (ou son ancêtre) était un berger qui, ayant découvert une bague magique lui permettant de devenir invisible, séduisit la reine du royaume de Lydie (en Asie Mineure), puis avec sa complicité tua le roi et s'empara du pouvoir.
47. **Casque d'Hadès** Attribut du dieu qui le rend invisible.

les hommes et les dieux, afin qu'elle remporte aussi les prix qu'elle retire d'une bonne réputation et qu'elle donne à ses adeptes, maintenant qu'il est prouvé qu'elle procure aussi les biens qui viennent de la réalité de la vertu et qu'elle ne trompe pas ceux qui l'embrassent sincèrement.

(612e) Tu ne demandes rien que de juste, dit-il.

Vous allez donc d'abord, repris-je, me rendre ce point, que les dieux du moins ne se méprennent pas sur ce que sont ces deux espèces d'homme.

Nous te le rendrons, dit-il.

Et si les dieux ne s'y méprennent pas, qu'ils aiment l'un et haïssent l'autre, comme nous en sommes tombés d'accord au début.

C'est exact.

Pour celui que les dieux chérissent, ne reconnaîtrons-nous pas **(613a)** que les dons que font les dieux lui seront accordés dans toute la plénitude possible, à moins qu'il n'ait dès la naissance quelque mal qui soit la conséquence nécessaire d'une faute antérieure ?

Sans contredit.

Il faut donc reconnaître à l'égard de l'homme juste que, s'il est en butte à la pauvreté, à la maladie ou à quelque autre de ces états que l'on prend pour des maux, cela finira par tourner à son avantage, soit de son vivant, soit après sa mort ; car les dieux ne sauraient négliger quiconque s'efforce de devenir juste et de se rendre par la pratique de la vertu aussi semblable à la divinité qu'il a été donné à l'homme.

(613b) À coup sûr, dit-il, il est naturel qu'un tel homme ne soit pas négligé par son semblable.

À l'égard de l'homme injuste ne faut-il pas se faire l'opinion contraire ?

Si.

Du côté des dieux, voilà donc les prix qui reviennent à l'homme juste.

C'est du moins mon sentiment, dit-il.

Et du côté des hommes, repris-je, n'est-ce pas ainsi que les choses se passent, s'il faut dire la vérité ? Est-ce que les scélérats adroits ne sont pas comme ces coureurs qui fournissent une belle course au départ, mais non pas au retour ? **(613c)** Ils bondissent d'abord avec rapidité, mais à la fin on rit d'eux, quand on les voit, les oreilles basses, se retirer précipitamment sans être couronnés, au lieu que les vrais coureurs arrivent au but, remportent le prix et reçoivent la couronne. N'en est-il pas d'ordinaire ainsi des justes ? Arrivés au terme de chacune de leurs entreprises, de leurs relations avec les hommes et de leur vie, ils jouissent d'une bonne réputation et emportent les prix que donne la société.

Certainement.

(613d) Tu souffriras donc que j'applique aux justes ce que toi-même tu as dit des méchants. Je prétends en effet que les justes arrivés à l'âge mûr, parviennent, s'ils le désirent, aux dignités dans leur État, qu'ils choisissent leurs femmes où ils veulent et marient leurs enfants comme ils veulent, et tout ce que tu as dit de ceux-là, je le dis à présent de ceux-ci. Quant aux hommes injustes, je soutiens, à supposer que pendant leur jeunesse ils puissent cacher ce qu'ils sont, que la plupart d'entre eux se laissent prendre à la fin de leur carrière, qu'ils deviennent un objet de risée et que, malheureux dans leur vieillesse, ils sont abreuvés d'outrages par les étrangers et par leurs concitoyens ; on les fouette **(613e)** et on leur applique ces supplices que tu qualifiais d'atroces, et avec raison, puis on les torture, on les brûle au fer chaud. Pense que moi aussi je prétends qu'ils ont à souffrir toutes ces horreurs, et vois, je le répète, si tu veux m'accorder cela.

Oui, certes, dit-il ; car tu ne dis rien que de vrai.

LE MYTHE D'ER LE PAMPHYLIEN

Tels sont donc, repris-je, les prix, les récompenses et les présents que le juste reçoit des dieux et des hommes pendant sa vie, **(614a)** sans parler de ces biens que la justice lui procurait elle-même.

Ce sont assurément des récompenses glorieuses et solides.

Eh bien, dis-je, ce n'est rien ni pour le nombre, ni pour la grandeur en comparaison de ce qui attend après la mort et le juste et l'injuste. C'est ce qu'il faut entendre, afin que l'un et l'autre reçoivent exactement ce qui lui est dû par la discussion.

Parle, dit-il ; aussi bien il y a peu de choses qui me feraient plus de plaisir à entendre.

(614b) Ce n'est point, dis-je, un récit d'**Alkinoos**[48] que je vais te faire, mais le récit d'un brave, **Er**[49], fils d'Arménios, originaire de Pam-

48. **Alkinoos** Dans l'*Odyssée* d'Homère, il s'agit d'un roi chez qui Ulysse séjourne.
49. **Er** Personnage mythique. La Pamphylie était une région située au sud-ouest de l'actuelle Turquie.

phylie. Il était mort dans une bataille. Dix jours après, comme on ramassait les morts déjà putréfiés, on le releva, lui, en bon état, on le porta chez lui pour l'ensevelir et, le douzième jour, ayant été mis sur le bûcher, il revint à la vie. Alors il raconta ce qu'il avait vu là-bas. Aussitôt, dit-il, que son âme était sortie de son corps, il s'était mis en route avec beaucoup d'autres, **(614c)** et ils étaient arrivés dans un endroit merveilleux, où il y avait dans la terre deux ouvertures attenant l'une à l'autre, et dans le ciel, en haut, deux autres qui, leur faisaient face. Entre ces doubles ouvertures siégeaient des juges ; dès qu'ils avaient prononcé leur sentence, ils ordonnaient aux justes de prendre à droite la route qui montait dans le ciel, après leur avoir attaché par devant un écriteau relatant leur jugement, et aux criminels de prendre à gauche la route descendante, portant eux aussi, mais par derrière, **(614d)** un écriteau où étaient marquées toutes leurs actions. Comme il s'approchait à son tour, les juges lui dirent qu'il aurait à porter aux hommes les nouvelles de ce monde souterrain et ils lui ordonnèrent d'écouter et d'observer ce qui se passait en cet endroit. Or il vit là les âmes qui s'en allaient par l'une et l'autre ouverture du ciel et de la terre, après avoir subi leur jugement, pendant que les deux autres ouvertures livraient passage, l'une à des âmes exténuées et poussiéreuses qui montaient du sein de la terre, l'autre à des âmes qui descendaient du ciel toutes pures ; **(614e)** et toutes ces âmes qui arrivaient successivement semblaient venir d'un long voyage ; elles gagnaient joyeusement la prairie pour y camper, comme dans une fête solennelle ; celles qui se connaissaient se saluaient réciproquement, et celles qui venaient de la terre questionnaient les autres sur ce qui se passait au ciel, et celles qui venaient du ciel sur ce qui se passait sous terre. **(615a)** Les unes racontaient leurs aventures en gémissant et pleurant au souvenir des maux de toute sorte qu'elles avaient soufferts et vu souffrir dans leur voyage souterrain, voyage qui dure mille ans ; les autres, qui venaient du ciel, faisaient le récit de plaisirs délicieux et de spectacles d'une beauté infinie. Les nombreux détails de leur récit, Glaucon, demanderaient beaucoup de temps ; mais en voici d'après lui l'essentiel. Quel que fût le nombre des crimes qu'elles avaient commis, et celui des personnes qu'elles avaient lésées, elles expiaient tous leurs méfaits l'un après l'autre, et dix fois chacun d'eux, et chaque fois la punition durait cent ans, **(615b)** ce qui est la durée de la vie humaine, afin que le châtiment fût décuplé pour chaque crime. Par exemple ceux qui avaient causé la mort de beaucoup d'hommes, qui avaient trahi des États et des armées et les avaient jetés dans l'esclavage, qui avaient contribué à quelque autre catastrophe, avaient à subir des douleurs au décuple pour chaque crime. Ceux qui au contraire avaient fait du bien autour d'eux, qui avaient été justes et pieux en obtenaient la récompense dans la même proportion. **(615c)** Au sujet des enfants qui sont morts en naissant ou qui n'ont vécu que peu de temps, Er donnait force détails qui ne valent pas la peine qu'on les rapporte. En ce qui concerne l'impiété ou la piété envers les dieux et les parents, et le meurtre à main armée, le salaire, d'après lui, dépassait encore la mesure donnée plus haut.

Il s'était en effet trouvé, disait-il, près d'un homme à qui l'on demandait où était Ardiée le Grand. Or cet Ardiée avait été tyran dans une cité de Pamphylie, mille ans auparavant; **(615d)** il avait tué son vieux père et son frère aîné, et commis, à ce que l'on disait, beaucoup d'autres forfaits. L'homme ainsi questionné avait répondu, selon le rapport d'Er: « Il n'est pas venu, il ne saurait venir ici ».

Et en effet, entre autres spectacles terribles, nous avons été témoins de celui-ci. Comme nous étions près de l'ouverture et sur le point de remonter, après avoir subi toutes les autres épreuves, soudain nous avons aperçu cet Ardiée avec d'autres, qui, pour la plupart, étaient des tyrans; il y avait aussi un certain nombre de particuliers qui avaient été de grands scélérats. **(615e)** Au moment où ils pensaient remonter, l'ouverture leur refusa le passage: elle mugissait chaque fois qu'un de ces méchants incurables ou qui n'avaient pas suffisamment expié essayait de sortir. Alors, disait-il, des hommes sauvages et tout de feu, qui se tenaient près de l'entrée, entendant le mugissement, saisissaient les uns par le milieu du corps et les emmenaient; mais pour Ardiée et d'autres, ils leur enchaînèrent les mains, les pieds et la tête, **(616a)** les jetèrent à terre, les écorchèrent, les tirèrent de côté le long du chemin, et, les cardant sur des **genêts épineux**[50], ils déclaraient à tous les passants pour quels crimes ils les traitaient ainsi et qu'ils les emmenaient pour les précipiter dans le **Tartare**[51]. » Là, disait Er, ils avaient ressenti bien des terreurs de toutes sortes; mais aucune n'égalait la peur que chacun avait d'entendre le mugissement, au moment de remonter, et ç'avait été pour chacun d'eux une vive satisfaction de pouvoir remonter sans l'en-

50. **Genêt épineux** Arbuste à fortes épines, aussi nommé genêt scorpion.
51. **Tartare** Lieu situé dans les profondeurs de la terre.

tendre. **(616b)** Tels étaient à peu près les peines et les châtiments, ainsi que les récompenses correspondantes.

Quand chaque groupe avait passé sept jours dans la prairie, il devait lever le camp et partir le huitième jour, pour arriver quatre jours après à un endroit d'où l'on découvre une lumière qui s'étend d'en haut à travers tout le ciel et la terre, lumière droite comme une colonne et fort semblable à l'arc-en-ciel, mais plus brillante et plus pure. Ils arrivèrent à cette lumière après un jour de marche ; **(616c)** et là, au milieu de la lumière, ils virent, tendues de ce point du ciel, les extrémités de ses chaînes ; car cette lumière était un lien qui enchaînait le ciel, comme les cordes qui font le tour des **trières**[52] ; c'est de la même façon qu'elle retenait toute la sphère tournante. Aux extrémités de ces liens était suspendu le **fuseau**[53] de la **Nécessité**[54] qui faisait tourner toutes les sphères ; la tige et le crochet étaient d'acier et le peson un mélange d'acier et d'autres matières. **(616d)** Voici quelle était la nature du peson : extérieurement il ressemblait aux pesons d'ici-bas ; mais pour sa composition, il faut, d'après ce que disait Er, se le représenter de la façon suivante : c'était un grand peson creux et évidé complètement, dans lequel était exactement enchâssé un autre peson pareil, mais plus petit, comme les boîtes qu'on encastre 'une dans l'autre' un troisième s'enchâssait de même, puis un quatrième, puis les autres ; car il y avait huit pesons en tout, **(616e)** insérés les uns dans les autres, laissant voir en haut leurs bords comme des cercles, et formant la surface continue d'un seul peson autour de la tige, qui traversait de part en part le milieu du huitième. Or le premier peson, le peson extérieur, était celui dont le bord circulaire était le plus large ; à ce point de vue le sixième peson avait le deuxième rang, le quatrième, le troisième rang ; le huitième, le quatrième ; le septième, le cinquième ; le cinquième, le sixième ; le troisième, le septième, et enfin le deuxième, le huitième. Le cercle du plus grand était constellé ; celui du septième était le plus brillant. Celui du huitième tenait sa couleur du septième qui l'éclairait **(617a)**, ceux du deuxième et du cinquième avaient à peu près la même couleur, une couleur plus jaune que les précédents, le troisième était le plus blanc de tous, le quatrième était rougeâtre, le sixième avait le se-

52. **Trières** Navires de combat antiques.
53. **Fuseau** Tige munie d'un crochet et d'un peson (poids) utilisé dans le filage de fibres.
54. **Nécessité** Déesse qui personnifie la destinée.

cond rang pour la blancheur. Le fuseau tout entier tournait sur lui-même d'un mouvement uniforme; mais dans la rotation de l'ensemble, les sept cercles intérieurs tournaient lentement dans un sens contraire à tout le reste. **(617b)** Parmi les sept, le plus rapide était le huitième, puis le septième, le sixième et le cinquième qui allaient du même pas; puis le quatrième leur paraissait avoir le troisième rang de vitesse dans cette rotation inverse, le troisième, le quatrième rang, et le deuxième le cinquième. Le fuseau lui-même tournait sur les genoux de la Nécessité. Sur le haut de chaque cercle se tenait une sirène qui tournait avec lui et qui faisait entendre sa note à elle, son ton à elle, en sorte que ces voix réunies, au nombre de huit composaient un accord unique. **(617c)** D'autres femmes assises en cercle à intervalles égaux, au nombre de trois, chacune sur un trône, les filles de la Nécessité, les **Moires**[55], vêtues de blanc, la tête couronnée de bandelettes, Lachésis, Clotho et Atropos, chantaient, d'accord avec les sirènes, Lachésis le passé, Clotho le présent, Atropos l'avenir. De plus Clotho, la main droite sur le fuseau, en faisait tourner par intervalles le cercle extérieur; Atropos faisait tourner de la même manière avec sa main gauche les cercles intérieurs, **(617d)** et Lachésis tournait tour à tour les uns et les autres de l'une et de l'autre main.

Pour eux, quand ils furent arrivés, il leur fallut aussitôt se présenter à Lachésis. Et d'abord un **hiérophante**[56] les rangea en ordre; puis prenant sur les genoux de Lachésis des lots et des modèles de vie, il monta sur une estrade élevée et cria:

« Proclamation de la vierge Lachésis, fille de la Nécessité. Âmes éphémères, vous allez commencer une nouvelle carrière et renaître à la condition mortelle. **(617e)** Ce n'est pas un **génie**[57] qui vous tirera au sort, c'est vous qui allez choisir votre génie. Le premier que le sort aura désigné choisira le premier la vie à laquelle il sera lié de par la Nécessité. Pour la vertu, elle n'a point de maître; chacun en aura plus ou moins, suivant qu'il l'honorera ou la négligera. Chacun est responsable de son choix, la divinité est hors de cause. »

À ces mots, il jeta les sorts sur l'assemblée, et chacun ramassa celui qui était tombé près de lui, sauf Er à qui on ne le permit pas. Chacun

55. **Moires** Le terme désigne étymologiquement les « parties » du destin.
56. **Hiérophante** Prêtre qui présidait à des rites initiatiques.
57. **Génie** Il représente ici la personnification du destin de chacun.

connut alors le rang qui lui était échu pour choisir. **(618a)** Après cela, le même hiérophante étala sur terre devant eux les modèles de vie, dont le nombre surpassait de beaucoup celui des Âmes présentes. Il y en avait de toutes sortes: toutes les vies possibles d'animaux et toutes les vies humaines; on y trouvait des tyrannies, les unes durables jusqu'à la mort, les autres interrompues au milieu et finissant par la pauvreté, l'exil, la mendicité; il y avait aussi des vies d'hommes renommés soit pour la beauté de leur corps et de leur visage ou pour leur vigueur et leur force à la lutte **(618b)**, soit pour leur noblesse et les grandes qualités de leurs ancêtres. Il y avait aussi des vies d'hommes obscurs sous tous ces rapports, et des vies de femmes de la même variété. Mais il n'y avait rien de réglé pour le rang des âmes, parce que chacune devait nécessairement changer selon le choix qu'elle faisait. Quant aux autres éléments de notre condition, ils étaient mélangés les uns avec les autres et avec la richesse et la pauvreté, avec la maladie, avec la santé; il y avait aussi des partages moyens entre ces extrêmes. C'est là, ce semble, cher Glaucon, qu'est le moment critique pour l'homme, **(618c)** et c'est justement pour cela que chacun de nous doit laisser de côté toute autre étude, et mettre ses soins à rechercher et à cultiver celle-là seule. Peut-être pourra-t-il découvrir et reconnaître l'homme qui lui communiquera la capacité et la science de discerner les bonnes et les mauvaises conditions et de choisir toujours et partout la meilleure, autant qu'il lui sera possible, en calculant quels effets toutes les qualités que je viens de dire ont sur la vertu pendant la vie, par leur assemblage ou leur séparation. **(618d)** Qu'il apprenne de lui à prévoir le bien ou le mal que produit tel mélange de beauté avec la pauvreté ou la richesse et avec telle ou telle disposition de l'âme, et les conséquences qu'auront en se mélangeant entre elles la naissance illustre ou obscure, la vie privée et les charges publiques, la vigueur ou la faiblesse, la facilité ou la difficulté d'apprendre et toutes les qualités spirituelles du même genre, naturelles ou acquises. Alors tirant la conclusion de tout cela, et ne perdant pas de vue la nature de l'âme, **(618e)** il sera capable de choisir entre une vie mauvaise et une vie bonne, appelant mauvaise celle qui aboutirait à rendre l'âme plus injuste, et bonne celle qui la rendrait meilleure, sans avoir égard à tout le reste; car nous avons vu que, pendant la vie et après la mort, c'est le meilleur choix qu'on puisse faire. **(619a)** Et il faut garder cette opinion dure comme l'acier en descendant chez Hadès, afin de ne pas se laisser éblouir là-bas non plus par les richesses et les maux de cette nature, de ne pas se précipiter sur les tyrannies ou autres choix du même genre, qui causeraient des maux sans nombre et sans remède et nous en feraient souffrir à nous-mêmes de plus grands encore, mais plutôt de vouloir choisir toujours parmi les conditions la condition moyenne, de fuir les excès dans les deux sens, et dans cette vie, autant qu'il est possible, et dans toutes celles qui suivront ; car c'est à cela qu'est attaché le bonheur de l'homme.

(619b) Au moment même où le hiérophante jetait les sorts, il avait, selon le rapport du messager des enfers, ajouté ces paroles : « Même le dernier venu, s'il choisit judicieusement et s'efforce de bien vivre, peut ramasser une condition convenable et bonne. Que le premier choisisse avec attention et que le dernier ne perde pas courage. » Le Pamphylien racontait que, lorsque le hiérophante eut prononcé ces paroles, celui à qui était échu le premier sort, s'avançant aussitôt, choisit la plus grande tyrannie, et, emporté par l'imprudence et par une avidité gloutonne, il la prit sans avoir examiné suffisamment toutes les conséquences de son choix. **(619c)** Il ne vit pas que son lot le destinait à manger ses propres enfants et à d'autres horreurs ; mais quand il eut examiné à loisir, il se frappa la poitrine et se lamenta d'avoir ainsi choisi, sans se souvenir des avertissements du hiérophante ; car, au lieu de s'accuser lui-même de ses maux, il s'en prenait à la fortune, aux démons, à tout, plutôt qu'à lui-même. Or c'était un de ceux qui venaient du ciel, et il avait vécu précédemment dans un État bien gouverné ; **(619d)** mais, s'il avait eu de la vertu, c'était à l'habitude, non à la philosophie qu'il le devait, et l'on peut affirmer que, parmi les âmes qui se laissaient ainsi surprendre, celles qui venaient du ciel n'étaient pas les moins nombreuses ; et la raison, c'est qu'elles n'avaient pas été éprouvées par les souffrances ; au contraire la plupart de celles qui venaient de la terre, ayant souffert elles-mêmes et vu souffrir les autres, ne faisaient pas leur choix avec précipitation. Il résultait de là, comme aussi des chances du tirage au sort, que la plupart des âmes échangeaient des maux pour des biens et vice-versa. Si en effet chaque fois qu'un homme vient en ce monde, il s'appliquait à une saine étude de la philosophie, **(619e)** et si le sort ne l'appelait pas à choisir parmi les derniers, il aurait des chances, d'après ce qu'on rapporte des choses de l'autre monde, non seulement de vivre heureux ici-bas, mais encore de faire le voyage de ce monde en l'autre et le retour en celui-ci, non par l'âpre chemin souterrain, mais par la route unie du ciel.

C'était, disait Er, un spectacle curieux de voir de quelle manière les différentes âmes choisissaient leur vie : **(620a)** rien de plus pitoyable, de plus ridicule, de plus étrange ; la plupart en effet n'étaient guidées dans leur choix que par les habitudes de leur vie antérieure. Il avait vu, disait-il, l'âme qui avait été celle d'**Orphée**[58] choisir la vie d'un cygne, parce qu'il ne voulait pas, en haine des femmes qui l'avaient mis à mort, naître du sein d'une femme ; il avait vu l'âme de **Thamyras**[59] choisir la vie d'un rossignol ; il avait vu aussi un cygne changer son existence pour celle d'un homme, et d'autres animaux chanteurs faire de même. **(620b)** L'âme que le sort avait appelée la vingtième à choisir prit la vie d'un lion : c'était celle d'**Ajax**[60], fils de Télamon, qui ne voulait plus de l'état d'homme, en ressouvenir du jugement des armes. Puis ce fut l'âme d'**Agamemnon**[61] ; elle aussi, ayant pris en aversion la race humaine à cause de ses malheurs passés, échangea sa condition pour celle d'un aigle. Placée par le sort au milieu des autres, l'âme d'**Atalante**[62], ayant considéré les grands honneurs rendus aux athlètes, n'eut pas la force de passer outre, et les choisit. **(620c)** Après elle, il avait vu l'âme d'**Épéos**[63], fils de Panopée, passer à la condition d'une femme industrieuse. Loin, dans les derniers rangs, il avait vu l'âme du bouffon **Thersite**[64] revêtir la forme d'un singe. Enfin l'âme d'Ulysse, à qui le hasard avait assigné le dernier rang, s'avança pour choisir ; mais soulagée de l'ambition par le souvenir de ses épreuves passées, elle alla cherchant longtemps la vie d'un particulier étranger aux affaires ; elle eut quelque peine à en trouver une, qui gisait dans un coin, dédaignée par les autres. **(620d)** En l'apercevant, elle dit qu'elle aurait fait le même choix, si le sort l'eût désignée la première, et elle s'empressa de la prendre. Les animaux faisaient de même : ils passaient à la condition d'hommes ou à celle d'autres animaux, les animaux injustes dans les espèces sauvages, les justes dans les espèces paisibles, et il se faisait des mélanges de toutes sortes.

58. **Orphée** Personnage mythique qui, grâce à ses dons musicaux, tenta de délivrer sa femme Eurydice des enfers, mais échoua.
59. **Thamyras** Poète légendaire que les Muses rendirent aveugle.
60. **Ajax** Héros homérique.
61. **Agamemnon** Héros homérique.
62. **Atalante** Héroïne grecque associée à la chasse.
63. **Épéos** Héros homérique.
64. **Thersite** Guerrier dans l'*Iliade* d'Homère, où il se fait ridiculiser.

Quand toutes les âmes eurent choisi leur condition, elles se dirigèrent vers Lachésis dans l'ordre où elles avaient tiré leur lot. Celle-ci donna à chacune le génie qu'elle avait préféré, afin qu'il lui servît de gardien dans la vie et lui fît remplir la destinée qu'elle avait choisie. **(620e)** Tout d'abord le génie la menait vers Clotho, et la mettant sous la main de cette Parque et sous le fuseau qu'elle faisait tourner, il ratifiait ainsi la destinée que l'âme avait choisie après le tirage au sort. Après avoir touché le fuseau, il la menait ensuite à la trame d'Atropos pour rendre irrévocable ce qui avait été filé par Clotho, **(621a)** puis, sans qu'elle pût retourner en arrière, l'âme venait au pied du trône de la Nécessité ; enfin elle passait de l'autre côté de ce trône. Lorsque toutes y eurent passé, elles se rendirent ensemble dans la plaine du **Léthé**[65] par une chaleur étouffante et terrible ; car il n'y avait dans la plaine ni arbre, ni plante. Le soir venu, elles campèrent au bord du fleuve **Amélès**[66], dont aucun vase ne peut garder l'eau ; chaque âme est obligée de boire de cette eau une certaine quantité ; celles qui ne sont pas retenues par la prudence en boivent outre mesure. Dès qu'on en a bu, on oublie tout. **(621b)** On s'endormit ensuite ; mais au milieu de la nuit il survint un éclat de tonnerre, avec un tremblement de terre, et soudain les âmes s'élancèrent de leur place l'une d'un côté, l'autre de l'autre vers le monde supérieur où elles devaient renaître, et filèrent comme des étoiles. Quant à lui, on l'avait empêché de boire de l'eau ; cependant par où et comment il avait rejoint son corps, il l'ignorait ; mais soudain, ayant levé les yeux, il s'était vu à l'aube couché sur le bûcher.

Et c'est ainsi, Glaucon, que le conte a été sauvé de l'oubli et ne s'est point perdu. **(621c)** Il peut, si nous y ajoutons foi, nous sauver nous-mêmes ; alors nous franchirons heureusement le fleuve Léthé, et nous ne souillerons pas notre âme. Si donc vous m'en croyez, convaincus que notre âme est immortelle et capable de tous les biens comme de tous les maux, nous suivrons toujours la route qui conduit en haut, et nous pratiquerons de toute manière la justice et la sagesse. Par là nous serons en paix avec nous-mêmes et avec les dieux, non seulement tant que nous resterons ici, mais encore lorsque nous aurons gagné les récompenses de la justice, **(621d)** comme les vainqueurs aux jeux qui recueillent les présents de leurs amis ; et nous serons heureux, à la fois sur cette terre, et dans le voyage de mille années que nous avons décrit.

65. **Léthé** Terme grec qui désigne l'oubli.
66. **Amélès** Terme grec qui désigne l'absence de souci.

Annexe 1

L'IMAGE DE LA LIGNE

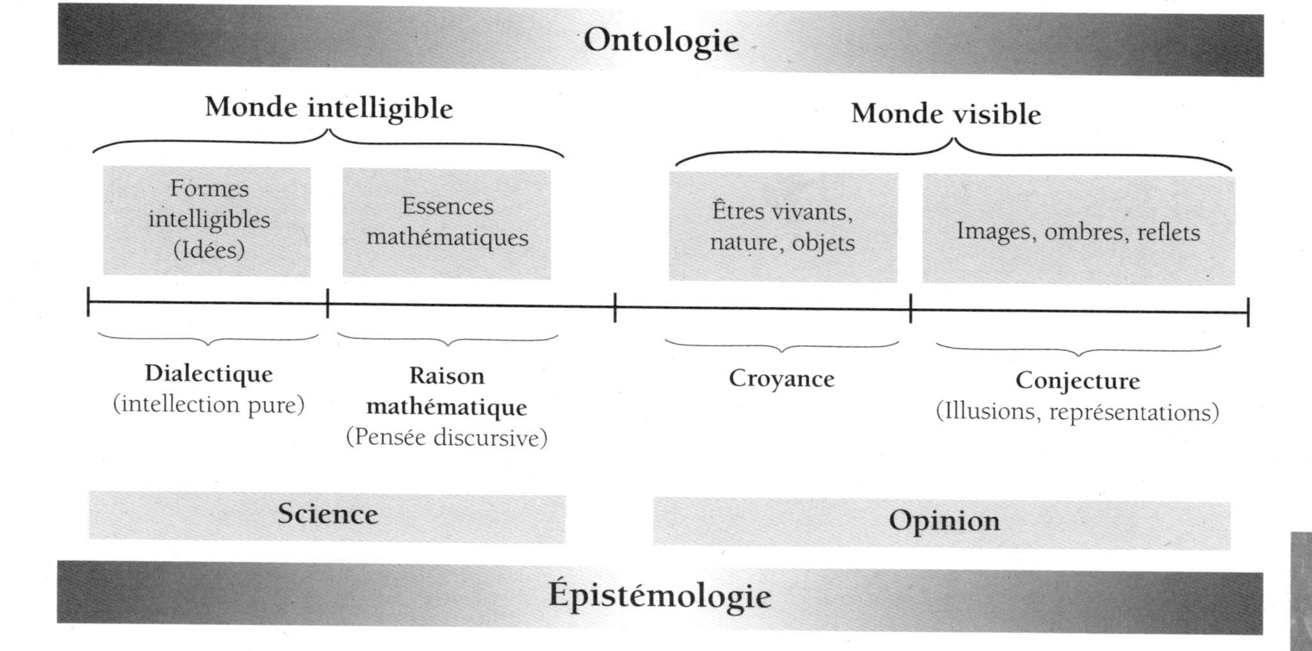

Annexe 2
L'ALLÉGORIE DE LA CAVERNE

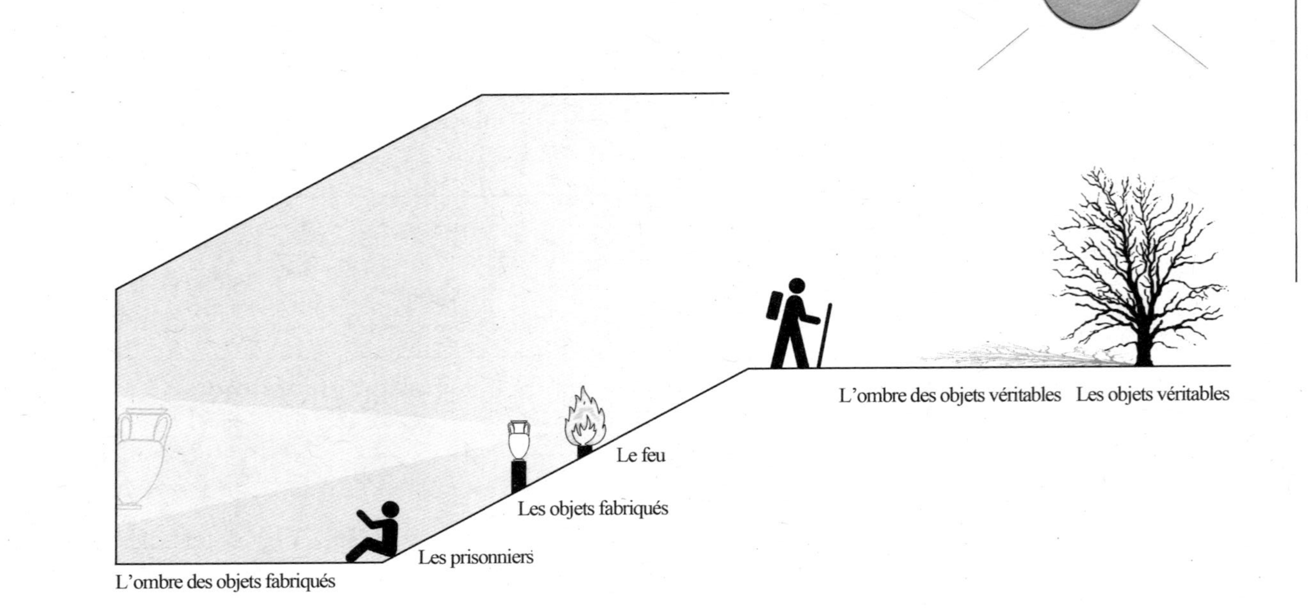

BIBLIOGRAPHIE SÉLECTIVE

ANNAS, JULIA (1994). *Introduction à* La République *de Platon*. Paris, PUF.
[Bonne introduction générale à *La République*.]

CANTO SPERBER, MONIQUE (dir.) (1997). *Philosophie grecque*. Paris, PUF.
[Recueil important sur la philosophie ancienne. Le chapitre sur Platon est incontournable.]

CHAMBRY, ÉMILE (1947-49). *Platon. Œuvres Complètes. Tomes VI – VII, 1 et 2*. Paris, Les Belles Lettres.
[Il s'agit de la traduction qui est reproduite dans ce volume. L'introduction contenue dans le Tome VI est très complète.]

DIXSAUT, MONIQUE (1985). *Le naturel philosophe. Essai sur les dialogues de Platon*. Paris, Vrin et Les Belles Lettres.
[Ouvrage important sur la pensée de Platon et particulièrement sa conception de la philosophie et du philosophe.]

MOSSÉ, CLAUDE (1971). *Histoire d'une démocratie : Athènes*. Paris, Seuil.
[Ouvrage classique sur la démocratie athénienne.]

LEROUX, GEORGES (2002). *Platon. La République*. Paris, GF Flammarion.
[Traduction française la plus récente de *La République*. Elle contient une introduction très utile et clairement rédigée.]

PRADEAU, JEAN-FRANÇOIS (1997). *Platon et la cité*. Paris, PUF.
[Courte, mais claire présentation de la philosophie politique de Platon.]

RANCIÈRE, JACQUES (2007). *Le philosophe et ses pauvres*. Paris, Flammarion.
[Le chapitre consacré à Platon constitue une lecture « contemporaine » de *La République*. Si elle n'est pas simple d'approche, elle constitue néanmoins une réflexion intéressante.]

* * *

Parmi les nombreuses revues grand public pertinentes, signalons ces deux récentes publications :

« Le siècle de Périclès », dans *Le nouvel observateur Hors-Série*, no. 69, juillet-août 2008.

« Grandes biographies : Platon », dans *Le Point Hors-Série*, no. 2, mars-avril 2009.

* * *

Comme nous l'avons indiqué dans l'introduction, le découpage et le choix des extraits que nous avons faits ont été largement inspirés du travail suivant :

WATERFIELD, ROBIN (1993). *Plato. Republic.* Oxford, Oxford University Press.